# VIVIR CON DIABETES

**imaginador**

Fermín E. Guerrero
   Vivir con diabetes - 1a ed. - Buenos Aires:
   Grupo Imaginador de Ediciones, 2006.
   160 p.; 20 x 14 cm.

   I.S.B.N.: 950-768-509-X

   1. Diabetes I. Título
   CDD 616.462

La información contenida en este libro no debe suplir en caso alguno a la opinión de su médico, ni utilizarse en casos de emergencia médica, ni para realizar diagnósticos, o para concretar tratamientos de enfermedad o condición médica alguna. Se debe consultar siempre y, en todos los casos, a un médico calificado, tanto para el diagnóstico como para el tratamiento de cualquier dolencia y de la totalidad de los problemas médicos.
Este libro sólo contiene material de divulgación, y ésa es su única finalidad.

Los editores

Primera edición: mayo de 2005
Última reimpresión: abril de 2006

I.S.B.N.: 950-768-509-X

Se ha hecho el depósito que establece la Ley 11.723
© GIDESA, 2006
Bartolomé Mitre 3749 – Ciudad Autónoma de Buenos Aires
República Argentina
Impreso en Argentina – Printed in Argentina

Se terminó de imprimir en Gama Producción Gráfica S.R.L., Zeballos 244, Avellaneda, en abril de 2006.

## COLOR

En estado de reposo el páncreas presenta un color blanco grisáceo, pero durante el trabajo digestivo, se congestiona y toma un color semejante al rosado.

## DIVISIÓN

Con el fin de realizar una explicación más didáctica, se ha dividido el órgano en tres partes: la cabeza, el cuerpo y la cola. La cabeza es la parte más voluminosa, se encuentra rodeada por el asa duodenal, que la sujeta firmemente. El cuerpo es la continuación del páncreas hacia la izquierda, contacta con la primera vértebra lumbar y con la aorta. La cola es la parte con menos sujeción; se encuentra por encima del bazo, los vasos del cual pasan por encima de la glándula.

## ■ Fisiología

Producto de la doble función del páncreas, su fisiología puede dividirse en dos partes: la exocrina y la endocrina.

## ESTRUCTURA DEL PÁNCREAS EXOCRINO

Presenta un aspecto ramificado que permite que se lo subdivida en lóbulos, los cuales, a su vez, están formados de acinos secretores más pequeños. Cada acino pancreático está constituido por una fila de células acinares secretoras de jugo pancreático, más bien altas y dispuestas circularmente.

De estos acinos parten conductos excretores de muy reducidas dimensiones que desembocan en otros mayores hasta llegar al conducto principal o también llamado de Wirsung. El conducto de Wirsung tiene su origen en la cola del páncreas, recorre el cuerpo y recibe sus vasos colectores (los cuales recogen el jugo pancreático para conducirlo al duodeno), atraviesa la cabeza y se introduce en la pared posterior del duodeno uniéndose al colédoco. En la unión del conducto principal con el duodeno se encuentra el esfínter de Oddi, que controla el paso de los jugos pancreáticos y de la bilis hacia el duodeno.

Existe otro conducto importante, el conducto accesorio o de Santorini. Este conducto discurre únicamente por la parte superior de la cabeza del páncreas y alcanza el duodeno un poco por encima del conducto de Wirsung, formando la papila accesoria. Su función es recoger el jugo pancreático segregado por las células de la parte superior de la cabeza del páncreas.

El páncreas secreta jugo pancreático en gran cantidad: alrededor de dos litros diarios. Su función es colaborar en la digestión de grasas, proteínas e hidratos de carbono y por su alcalinidad (pH entre 8.1 y 8.5) también neutraliza el quimo ácido procedente del estómago. El jugo es un líquido incoloro, inodoro y es rico en bicarbonato sódico, cloro, calcio, potasio y enzimas —como la tripsina, la quimiotripsina, la lipasa pancreática y la amilasa pancreática—. Estas enzimas contribuyen a la digestión de grasas, proteínas e hidratos de carbono.

## ESTRUCTURA DEL PÁNCREAS ENDOCRINO

Está formado por acumulaciones de células dispuestas en forma desordenada en la cabeza, el cuerpo y la cola: los islotes de Langerhans o pancreáticos. Los islotes, en algunos lugares, están unidos a células glandulares exocrinas. Se pueden contabilizar entre 0,5 y

# CAPÍTULO 1

 **Diabetes: primeros pasos hacia su conocimiento**

# ¿Qué es la diabetes?

La diabetes, una enfermedad crónica, se produce cuando el páncreas no fabrica la cantidad de insulina que el cuerpo necesita, o bien la fabrica de una calidad inferior. La insulina es una hormona que se encarga de transformar en energía los azúcares que se encuentran en los alimentos. Si falla, se origina un aumento excesivo del azúcar que contiene la sangre (esto se conoce como hiperglucemia).

El nombre científico de la enfermedad es <u>diabetes mellitus</u>, que significa "miel". Hasta el siglo pasado no se había podido comprobar que el aumento de azúcar en la sangre fuera la principal característica de la diabetes. Pero fue entonces cuando se pensó que el páncreas debía segregar una sustancia que fuera capaz de regular el metabolismo del azúcar. La sustancia, <u>insulina</u>, fue descubierta en 1921 y gracias a ella gran cantidad de diabéticos han podido llevar una vida prácticamente normal.

# El páncreas: nociones básicas

## ■ Morfología general

El páncreas es una glándula de secreción mixta: vierte su contenido a la sangre (acción de secreción interna) y al tubo digestivo (acción de secreción externa); por ello se puede hacer una diferencia entre la porción endocrina y la exocrina.

Debido a sus caracteres exteriores y a su estructura interna, se asemeja análogamente a las glándulas salivales, de ahí que se lo conozca con el nombre de glándula salival abdominal.

## UBICACIÓN

Esta glándula está ubicada en la parte superior del abdomen, delante de la columna vertebral, detrás del estómago, entre el bazo (que corresponde a su extremo izquierdo) y el asa duodenal, que engloba en su concavidad todo su extremo derecho. El páncreas es un órgano prolongado en sentido transversal y mucho más voluminoso en su extremo derecho que en el izquierdo.

## MEDIDAS

En cuanto al tamaño estándar es de entre 16 y 20 centímetros de longitud, y de entre 4 y 5 centímetros de altura. Además, tiene un grosor de 2 a 3 centímetros y su peso medio es de unos 70 gramos, en el hombre, y 60, en la mujer.

1,5 millones de islotes pero no se distribuyen de manera simétrica, son más numerosos en el cuerpo y en la cola que en la cabeza. Estos islotes se llaman porción endocrina debido a que tienen la capacidad de introducir directamente en la sangre su secreción, gracias a que están ricamente irrigados y atravesados por un sistema de vasos. La sangre que sale de los islotes se mezcla con la intestinal a través de la vena porta.

En los islotes se distinguen distintos tipos de células: alfa, beta y delta, con diversas funciones.

La parte endocrina del páncreas es la que sólo secreta hormonas directamente a la sangre, como la insulina o el glucagón. Las hormonas son sustancias químicas producidas por las glándulas endocrinas que actúan como mensajeros químicos en concentraciones plasmáticas muy reducidas y lejos del punto de secreción. La acción de las hormonas sobre los distintos tejidos depende de su naturaleza química y de la capacidad de fijación de las células receptoras de los órganos. Las hormonas pueden ser de naturaleza lipídica, peptídica o mixta. La insulina y el glucagón son de naturaleza peptídica. La insulina está constituida por dos cadenas de aminoácidos, denominadas A y B, unidas por dos puentes disulfuro.

El páncreas endocrino está formado por los islotes de Langerhans, que a su vez están formados por distintos tipos de células. Las células que forman los islotes de Langerhans pueden ser:

- Beta: representan el 80% de las células totales en los islotes y fabrican insulina, hormona que permite el paso de la glucosa de la sangre al interior de la célula, estimula la formación de glucógeno en el hígado (glucogenogénesis) e impide la glucogenolisis. De igual modo actúa sobre los aminoácidos que ingresan en el organismo: de una parte, facilitando su utilización por las células y, de otra, favoreciendo en el hígado su transformación en glucosa. De una forma similar, la insulina actúa también sobre las grasas, ya sea favoreciendo su utilización por las células, o transformando los ácidos grasos en glucosa para su almacenamiento. Las células beta predominan en el centro del islote.

- Alfa: representan el 20% del total de las células en los islotes y predominan en su periferia. Secretan una hormona responsable del aumento de la glucemia: el glucagón. La secreción de esta hormona es estimulada por la ingesta de proteínas, el ejercicio y la hipoglucemia mientras que la ingesta de hidratos de carbono, la somatostatina y la hiperglucemia la inhiben. El glucagón aumenta la glucemia porque estimula la formación de glucosa en el hígado a partir del glucógeno hepático. Por esta razón se dice que el glucagón es una hormona antagónica a la insulina.

- Delta: estas células, que aparecen en muy poca proporción, no son muy conocidas y no se sabe bien cuál es su función pero sí se ha comprobado que contienen somatostatina, la cual inhibe la liberación de insulina y de otras hormonas.

# El proceso diabético

La insulina secretada por el páncreas regula el metabolismo de los hidratos de carbono, es decir, de harinas y azúcares. La carencia de esta hormona provoca que las células del organismo pierdan su capacidad de almacenar y quemar glucosa de manera normal. Por lo tanto, aumenta la cantidad de glucosa en la sangre venosa y arterial. Este síntoma se denomina hiperglucemia.

Como consecuencia, la orina también llega a contener una elevada cantidad de glucosa ya que los riñones no pueden filtrar tanto azúcar y cierta cantidad de ella pasa a la vejiga. Este fenómeno se denomina glucosuria.

Debido al trastorno del metabolismo de los hidratos de carbono el organismo recurre a sus reservas de grasas. La combustión de ellas en grandes cantidades genera una proporción de ácidos que el organismo no está en condiciones de asimilar, por lo tanto, se producen diversos trastornos.

Así, el diabético tiende a presentar complicaciones como: delgadez extrema, debilidad, cansancio, apetito voraz, sed, etc.

# CAPÍTULO 2

**Causas, síntomas
y aspectos relacionados**

# Principales causas de diabetes

Las que se indican a continuación son las principales causas de desarrollo de diabetes.

→ **Riesgo hereditario:** en la mayoría de los casos la predisposición diabética es heredada. El factor hereditario es más pronunciado en el diabético tipo 2 que en el tipo 1. Un diabético suele tener siempre antepasados diabéticos, y cuando los dos padres tienen esta enfermedad, los hijos la heredan indefectiblemente.

→ **Obesidad:** dos de cada cinco diabéticos (es decir, alrededor de un 40%) tienen o han tenido sobrepeso.

→ **Posibles causas desencadenantes:** a partir de la predisposición genética existen causas que van a ser disparadoras y que hacen que se produzca la diabetes:
- La ya mencionada obesidad (o sobrepeso).
- Embarazo.
- Infecciones virales (se asocian especialmente con la diabetes tipo 1).
- Medicamentos.
- Accidentes, enfermedad grave, operaciones.
- Estrés emocional (duelo familiar, etc.).

En la actualidad (si bien se tiene mucha información y hubo muchos avances en el tema) aún existen interrogantes sobre qué provoca la diabetes y cómo se desencadena.

Por otro lado, una vez que se llega a conocer esto, surge un último interrogante (que pasa a transformarse en un reto): ¿se podrá encontrar la forma de curar la diabetes?

A medida que se avanza en el conocimiento de las causas, salta a la luz que son varios los factores que originan la enfermedad, la cual evoluciona de diferentes formas según los casos. Por ello, los científicos han comenzado a hablar de la existencia de distintos tipos de diabetes, con sus respectivas causas.

# Síntomas de la diabetes

La diabetes es una enfermedad casi siempre silenciosa y que presenta síntomas mucho tiempo después de haberse iniciado, generalmente cuando se produce el inicio de alguna de las complicaciones crónicas que provoca, por ejemplo: daños al riñón, a los ojos y a los nervios.

Incluso cuando los niveles de glucosa sean muy elevados, característica principal de la diabetes, puede no presentarse ningún síntoma, lo cual puede ser peligroso. Es necesario que todas las personas se realicen, al menos una vez al año, una prueba de glucosa en sangre para prevenir o empezar a tratar a tiempo esta enfermedad.

Entre los principales síntomas de la diabetes se incluyen:

- muchas ganas de orinar –poliuria– (en los niños se produce el fenómeno de la "cama mojada");
- hambre inusual, voraz –polifagia–;
- sed excesiva –polidipsia–;
- cansancio y debilidad;
- pérdida de peso, delgadez extrema;
- irritabilidad y cambios en el humor;
- sensación de malestar en el estómago, vómitos;
- infecciones frecuentes;
- vista borrosa, nublada;
- cortes y rasguños que no se curan, o que tardan demasiado en curarse;
- picazón o entumecimiento en las manos o los pies;
- infecciones recurrentes en la piel (piel reseca), la encía o la vejiga;
- niveles elevados de azúcar en la sangre y en la orina.

Cada uno de estos síntomas tiene una explicación lógica y, a su vez, todos se deben a una misma causa: exceso de glucosa en la sangre.

# Nociones básicas sobre glucosa

La diabetes es aquella enfermedad en la que los niveles de azúcar (o glucosa) en la sangre se encuentran aumentados. A la glucosa que circula por la sangre se la llama glucemia.

## ■ Valores de glucosa en sangre

- Valores bajos de glucosa en la sangre: Hipoglucemia.
  En general, se empiezan a sentir síntomas de falta de glucosa cuando el nivel de glucemia está en 55 mg/dl o menos.

- Valores normales de glucosa en sangre: Normoglucemia.
  En ayunas, entre 70 y 110 mg/dl. El nivel de glucemia después del ayuno nocturno se llama glucosa basal.

- Valores anormalmente altos de glucosa en sangre: Hiperglucemia.
  Superior a 110 mg/dl en ayunas. Si la persona no tiene diabetes y en una determinación ocasional de glucemia se encuentra a 110 mg/dl, o más, debe consultar con el médico. Probablemente le recomendará una segunda determinación.

## ■ ¿Para qué sirve la glucosa?

Todas las células del cuerpo necesitan energía para estar activas, mantener las funciones vitales (como el latido cardíaco, los movimientos digestivos, la respiración, etc.) y además mantener la temperatura corporal y los movimientos musculares. La glucosa es la principal fuente de energía para el cuerpo humano, como la gasolina lo es para mantener el motor del auto en marcha.

La glucosa entra en el organismo con los alimentos. Con la digestión, a lo largo del tubo digestivo, se pone en marcha una cadena de transformaciones químicas que convierte los alimentos en nutrientes y éstos en elementos más pequeños.

La glucosa pasa del intestino a la sangre y del torrente circulatorio a las células.

La sangre se encarga de transportar la glucosa:

- al hígado (glucosa de reserva);
- al cerebro y todas las células del cuerpo.

### → LA MISIÓN DE LA INSULINA

Para entrar dentro de las células y ser utilizada como energía, la glucosa necesita de la ayuda de la insulina. La insulina viene a ser la llave que abre la puerta de las células. El cerebro y las células del tejido nervioso son las únicas de todo el cuerpo que reciben glucosa directamente del torrente sanguíneo sin la mediación de la insulina. La glucosa es, en este caso, la única fuente de energía.

# ■ ¿Qué ocurre cuando falta glucosa?

Cuando los niveles de glucosa en sangre están por debajo de la normalidad se produce una hipoglucemia (hipo = bajo, glucemia = glucosa en sangre).

En general se empiezan a sentir las manifestaciones físicas de falta de glucosa cuando el nivel de glucemia está en 55 mg/dl o menos, cifra por debajo de la cual empiezan los síntomas o las "señales de alerta", aunque la sensibilidad y/o percepción de los mismos es diferente para cada persona. Las "señales de alerta" más frecuentes son:

- Transpiración (sin calor).
- Sensación de hambre de aparición brusca.
- Debilidad.
- Palidez.
- Sensación de mareo.
- Temblores y nerviosismo.
- Palpitaciones.
- Alteraciones del comportamiento.
- Irritabilidad.

Si esta situación no se corrige rápidamente pueden aparecer dificultades graves: visión borrosa, problemas para hablar, confusión mental y hasta pérdida del conocimiento (coma hipoglucémico).

Los síntomas de hipoglucemia no aparecen todos de igual manera, cada persona debe aprender a identificar sus propias señales de alerta.

Cuando la glucosa escasea, el cerebro y las células del tejido nervioso no pueden ser nutridas normalmente, entonces el organismo activa una serie de mecanismos para protegerse de la situación de peligro y para advertir al individuo que debe actuar con rapidez. Se produce la elevación de una serie de hormonas, como la adrenalina, el glucagón, el cortisol, etc., con la finalidad de movilizar las reservas de glucosa que existen fundamentalmente en el hígado.

→ Ante los primeros síntomas (sin pérdida de conciencia) es necesario comer azúcar:

- 2 ó 3 cucharadas de azúcar (15 g), o
- 1 vaso (150 ml) de bebida: jugo de frutas, gaseosa, etc., o
- entre 3 y 5 galletas.

Los síntomas suelen ceder en 5-10 minutos.

→ Si la hipoglucemia es grave, con pérdida de conciencia, no debe intentarse que el diabético coma ni beba nada. Se precisa la inyección de una ampolla de glucagón por vía subcutánea (se inyecta igual que la insulina) o intramuscular (en la nalga).

El glucagón debe hacer su efecto en unos 10 minutos.

Si no hay recuperación, la persona afectada debe recibir asistencia médica inmediatamente.

Si hay recuperación, hay que verificar el nivel de glucemia con repetidos controles y comer alimentos con hidratos de carbono de absorción lenta.

Después de un episodio de hipoglucemia con pérdida de conocimiento siempre se debe comunicarlo al equipo de profesionales sanitarios con el que se atienda el paciente.

# ■ ¿Cómo prevenir las hipoglucemias?

Para prevenir las hipoglucemias, los diabéticos deben tener en cuenta lo siguiente:
- ajustar las dosis de los medicamentos a sus necesidades reales;
- mantener un horario de comidas regular, en la medida de lo posible;
- tomar cantidades moderadas de hidratos de carbono antes de realizar ejercicios extraordinarios;
- llevar siempre azúcar consigo.

# CAPÍTULO 3

 **Diferentes tipos de diabetes
y formas de diagnosticarlos**

# Tipos de diabetes

## ■ Diabetes mellitus tipo 1

Se trata de una diabetes que aparece porque se produce un déficit de secreción de insulina, es decir, el páncreas no la produce en cantidad necesaria e incluso directamente deja de producirla.

Suele aparecer durante la infancia, la adolescencia y los primeros años de vida adulta.

## CAUSAS

### → Autoinmunidad

En este tipo de diabetes existen pruebas de que las células beta pancreáticas –responsables de fabricar la insulina– están inflamadas. Esto conduce al sistema inmunitario a crear un tipo de anticuerpos que se encargan de destruir estas células (destrucción autoinmune de células del páncreas). Los anticuerpos pueden estar en la sangre incluso mucho tiempo antes de que se descubra la presencia de esta enfermedad. Suele comenzar de forma brusca. Por lo general, el peso es normal o por debajo de lo normal, aunque la presencia de la obesidad no es incompatible con el diagnóstico. Además, los pacientes son propensos a padecer otras alteraciones del sistema inmunitario.

### → Predisposición genética

Hasta el momento, los estudios realizados indican que existe una estrecha relación entre algunos genes, los que codifican la compatibilidad entre los tejidos. El hecho de tener un patrón genético determinado junto con unos anticuerpos determinados se traduce en una asociación peligrosa.

→ *Factores ambientales*

Existen factores ambientales no identificados que pueden llegar a actuar como causantes e incidir en la diabetes tipo 1 (además de, por ejemplo, la raza, el clima, la alimentación, la latitud geográfica, etc.).

# ■ Diabetes mellitus tipo 2

En este tipo de diabetes, en cambio, el páncreas sigue produciendo insulina, pero el cuerpo no la utiliza bien. Se presenta, por lo general, en edades más avanzadas y es unas diez veces más frecuente que la anterior. Además, se da la circunstancia de que también la sufren o la han sufrido otras personas de la familia.

## CAUSAS

→ *Resistencia a la insulina*

En este tipo de diabetes se ha comprobado que los pacientes, en mayor o menor medida, son resistentes a la insulina. Esta situación no es suficiente para desarrollar este tipo de diabetes, también se precisa de la existencia de otros elementos de diversa índole, como factores ambientales, genéticos, etc. Por ejemplo, se han producido casos de personas obesas que, aun teniendo resistencia a la insulina, no desarrollan diabetes.

### ➜ *Herencia familiar*

En la diabetes tipo 2 se reconoce una base genética importante y, en muchos casos, con un patrón hereditario dominante.

Diversos estudios han demostrado que estos genes estarían implicados tanto en un defecto parcial de las células beta pancreáticas, que producen insulina de mala calidad, como en un defecto de los receptores de insulina situados en todas las células y tejidos del cuerpo.

### ➜ *Factores ambientales*

Hay distintos estados que pueden llevar a desarrollar la enfermedad diabética tipo 2: la obesidad –específicamente con cierta distribución de la grasa en el abdomen–, la disminución de la actividad muscular, el envejecimiento de la población y otros factores que se encuentran relacionados con la forma de vida, la alimentación, etc. La obesidad está presente en el 80% de los pacientes.

# ■ Diabetes Gestacional

Es la que se diagnostica por primera vez durante el embarazo. Más que un tercer tipo diferente, se considera una diabetes ocasional. Se puede controlar igual que los otros tipos de diabetes. Por lo general, suele aparecer en un 2 a 5% de los procesos de gestación. También ocurre que la paciente vuelve a su estado de normalidad tras el parto. Las mujeres con este tipo de diabetes tienen, a corto o largo plazo, más riesgo de desarrollar diabetes tipo 2. Entre los factores de riesgo para este tipo de diabetes figuran la obesidad y los antecedentes familiares.

La embarazada debe realizar consultas regulares con el especialista y llevar una dieta adecuada.

Durante el embarazo la insulina aumenta para incrementar las reservas de energía. A veces, este aumento no se produce y puede originar una diabetes por embarazo. Tampoco tiene síntomas y la detección se realiza casi siempre tras el análisis rutinario a que se someten todas las embarazadas a partir de las 24 semanas de gestación.

# ■ Otros tipos de diabetes

Existen otros tipos de diabetes originados por un mal funcionamiento de las células del páncreas o de la insulina que éstas fabrican, por problemas de metabolismo, etc. Muchas veces estas disfunciones están causadas por defectos genéticos, drogas, infecciones u otras enfermedades.

# Formas de diagnosticar la diabetes

## ■ ¿Cómo detectar la enfermedad?

Para detectar la enfermedad hay que prestar atención a cualquiera de los síntomas mencionados al comienzo de este libro, de manifestarse uno o más de ellos, o a cualquier anomalía que se produzca y que esté relacionada con esos síntomas. Inmediatamente después de ello, se deberá consultar con el especialista correspondiente.

Para diagnosticar la diabetes, generalmente basta con realizar un análisis de laboratorio que la persona debe hacerse estando en ayunas, para obtener los niveles de glucosa en sangre. Los índices estándar de dichos niveles, teniendo en cuenta siempre el estado de la persona, son:

- En una persona diabética: nivel de glucosa en sangre igual o superior a 126 mg/dl.
- En una persona con índice de glucosa anormal: nivel de glucosa en sangre entre 110 y 125 mg/dl.
- En una persona no diabética: nivel de glucosa en sangre igual o inferior a 109 mg/dl.
- Normalmente los niveles de glucosa deben ser iguales a 70 mg/dl, en ayunas, y menores a 110 mg/dl, dos horas después de comer.

## ■ ¿Cómo confirmar el resultado?

Para poder confirmar el resultado se pueden hacer las siguientes pruebas: Glucosa plasmática y Curva de Tolerancia a la Glucosa.

# GLUCOSA PLASMÁTICA

➡ Glucosa plasmática tomada al azar mayor o igual a 200 mg/dl, más signos y síntomas clásicos de diabetes.

➡ Glucosa plasmática en ayuno mayor o igual a 126 mg/dl, por lo menos en dos ocasiones.

## CURVA DE TOLERANCIA A LA GLUCOSA (CTG)

Esta prueba se recomienda cuando el resultado de la glucosa plasmática en ayuno sea menor a 140 mg/dl y superior a 110 mg/dl. Para confirmar el diagnóstico de la diabetes se requiere de un resultado que indique un valor de glucosa mayor o igual a 200 mg/dl durante esta prueba.

En las mujeres embarazadas la CTG dura tres horas y se realiza con una carga de glucosa de 100 g. Durante esta prueba se toman cuatro muestras de sangre; si dos de éstas indican valores de glucosa plasmática iguales o mayores a los siguientes valores, se puede confirmar el diagnóstico de la diabetes:

- Ayuno: 105 mg/dl;
- 1 hora después de comer: 190 mg/dl;
- 2 horas después de comer: 165 mg/dl;
- 3 horas después de comer: 145 mg/dl.

## ■ ¿Quiénes deberían realizarse estas pruebas?

- Personas con parientes en primer grado que hayan tenido o tengan diabetes.

- Obesos (es decir, quienes tengan más del 20% del peso deseable).
- Individuos mayores de 35 años, sedentarios y con alguno de los factores precedentes.
- Personas con hipertensión arterial o dislipidemia.
- Personas con alteración previa de la tolerancia a la glucosa.
- Mujeres con diabetes mellitus gestacional previa o antecedentes de un producto macrosómico (de 4 kg o más).
- Todas las mujeres embarazadas que estén entre las semanas 24 y 28 de gestación.

Los nuevos criterios diagnósticos de diabetes han sido establecidos en 1997 por la Asociación Americana de Diabetes (ADA). Esos criterios tienen como finalidad hacer un diagnóstico más precoz de la enfermedad y, así, prevenir complicaciones crónicas.

Estos criterios nuevos sustituyen a los que estableció, previamente, la Organización Mundial de la Salud, según los cuales se estaba en presencia de una diabetes mellitus si la glucosa plasmática en ayunas era mayor o igual a 140 mg/dl o si la glucosa plasmática, tras sobrecarga oral de glucosa, era mayor a 200 mg/dl.

## CRITERIOS DIAGNÓSTICOS DE DIABETES

- Glucemia plasmática mayor o igual a 200 mg/dl en cualquier momento del día, junto con síntomas cardinales de diabetes.
- Glucemia plasmática en ayunas mayor o igual a 126 mg/dl.
- Glucemia plasmática mayor a 200 mg/dl a las dos horas de una sobrecarga oral de glucosa (75 g).

Se establecen, asimismo, dos nuevas categorías diagnósticas:

- Intolerancia a hidratos de carbono: cuando la glucemia plasmática, a las dos horas de la sobrecarga oral de glucosa con 75 g, esté entre 140 y 200 mg/dl.
- Glucosa alterada en ayunas: si la glucemia plasmática en ayunas está entre 110 y 126 mg/dl.

# CAPÍTULO 4

 La diabetes en las diferentes
etapas de la vida

# ¿Quiénes pueden padecer diabetes?

## ■ Diabetes en adultos mayores

Generalmente, en los adultos mayores la diabetes que suele aparecer es la que pertenece al tipo 2, por ser más frecuente en personas mayores de 50 años. Pero en la actualidad, existe un número creciente de adultos mayores con diabetes tipo 1.

Entre las razones por las que se piensa que está aumentando la cantidad de adultos mayores con diabetes tipo 1 figura el hecho de que la expectativa de vida es cada vez mayor. De todas maneras, aunque muchos de estos pacientes son activos y funcionales –y muestran mucho interés ante el cuidado de su enfermedad–, ésta puede resultar extremadamente demandante para ellos.

Por un lado, las personas que ya son jubiladas gozan de más tiempo para dedicarse de lleno a su cuidado; por el otro, precisamente por ser jubilados, sumado a la situación de perder algún ser querido, temer a su propia muerte o presentar alguna otra enfermedad producto de la edad, viven crisis emocionales que pueden interferir fácilmente en el buen control de la diabetes y esto les genera complicaciones.

Por lo tanto, en el caso de las personas mayores con diabetes, los objetivos serían proporcionarles apoyo –respetando su independencia y autonomía– y controlar los niveles de glucosa para poder disminuir el riesgo de las complicaciones.

# ■ Diabetes en personas de la tercera edad

## PECULIARIDADES

La diabetes de la vejez se caracteriza por:
- No necesitar, por lo general, insulina, al menos al principio.
- Aparecer después de los 65 años.
- Afectar más al sexo femenino.
- Comenzar con pocos síntomas, teniendo una "evolución benigna".
- Ir acompañada, frecuentemente, de obesidad, que junto con el sedentarismo y la sobrealimentación constituyen los factores desencadenantes más importantes.

## LOS SÍNTOMAS

La diabetes en la vejez puede presentarse con los síntomas típicos de la enfermedad, aunque, por lo general, son menos aparentes:
- Sed.
- Aumento de la cantidad de orina.
- Aumento del apetito.
- Adelgazamiento.
- Cansancio.

> **➜ OTROS SÍNTOMAS ORIENTADORES SON:**
>
> Picazón en las zonas genitales, sequedad e infecciones repetidas de la piel, mala cicatrización de las heridas, etc. Hay que tener en cuenta que en muchas ocasiones la diabetes es silenciosa.

# EL DIAGNÓSTICO

Puede hacerse debido a:
- La aparición de los síntomas ya mencionados.
- La instauración de una complicación aguda (con obnubilación o pérdida de conciencia).
- La aparición de una complicación vascular (mala circulación en las piernas, lesiones coronarias o fallo en la visión).
- El descubrimiento casual (50% de todos los casos) con motivo de un análisis por otras razones.

## LAS EXPLORACIONES

Aunque a veces sea molesto, el anciano diabético debe someterse a una serie de estudios que incluyen, aparte de los análisis correspondientes, la revisión del aparato circulatorio, del sistema nervioso, de la vista y del riñón.

También debe realizar consultas frecuentes al oftalmólogo, porque se suelen producir lesiones de la retina y cataratas.

## CÓMO CUIDARSE

En la tercera edad es más fácil controlar la diabetes; generalmente se presentan como más leves y suele ser necesario, para su compensación, llevar una dieta adecuada. Si el médico indica que hay que adelgazar, se seguirá al pie de la letra esta recomendación, y si el peso es normal, deberá mantenerse. Además de la alimentación, se deberá realizar el ejercicio físico que se indique.

También es importante prestar atención a la higiene corporal y a la de la boca, al cuidado de los pies (se deben lavar diariamente, llevarlos bien abrigados, con las uñas cortadas correctamente, evitando durezas).

Es importante tener en cuenta que ante la falta de comprimidos antidiabéticos o al momento de inyectarse insulina, es necesario recordar el nombre de los medicamentos y su forma de administración.

A medida que pasan los años, el organismo se vuelve más sensible a las medicinas, y se eliminan con más dificultad, sobre todo por el riñón. Por este motivo, las hipoglucemias pueden ser más severas y duraderas, con síntomas, a veces, confusos. Debido a la edad, son frecuentes otras enfermedades que requieren de tratamientos, por lo que el médico debe conocer todos los medicamentos que toma su paciente para poder ajustar mejor la dosis de comprimidos antidiabéticos o de insulina.

## CÓMO CONTROLARSE

- Colaborando con el médico y con el educador (ver pág. 133), siguiendo sus consejos al pie de la letra.
- No abandonando la medicación ni la dieta.
- Controlando periódicamente el peso.
- Acudiendo a las revisiones cuando estén indicadas, o antes en caso de que hubiera alguna anormalidad.
- Realizando análisis pertinentes (de azúcar en orina, en sangre, etc.), cuando el médico lo aconseje.

## CONSEJOS PARA TENER EN CUENTA

- El tratamiento debe ser constante.
- Como las complicaciones circulatorias son frecuentes, se deben seguir los consejos médicos, para evitarlas.

- Se debe controlar no sólo el azúcar, sino también la tensión arterial y el nivel de grasas en sangre (el colesterol, los triglicéridos).
- El cigarrillo es malo para la salud e incrementa los trastornos circulatorios, por lo tanto, se recomienda abandonarlo.
- Si hay fiebre o trastornos digestivos pueden llevar a que una diabetes ligera empeore; en esos casos, hay que consultar con el médico.

# Diabetes en niños

La diabetes en los niños es una enfermedad hereditaria, en la cual el niño hereda de sus padres, en general aparentemente sanos, el riesgo de desarrollar diabetes, y la enfermedad podrá manifestarse cuando se presentan algunos factores del medio ambiente, como son, por ejemplo, las infecciones virales. Estas mismas infecciones, en otro niño que no tenga el riesgo heredado de desarrollar diabetes, no le producirán la enfermedad.

Las causas de la diabetes en el niño son diferentes a las del adulto, como lo son también las razones por las cuales los niños tienen elevada el azúcar en su sangre. En los niños se dañan y desaparecen las células pancreáticas encargadas de la producción de insulina, que a su vez controla los niveles de azúcar en la sangre. En los adultos, en cambio, la producción de insulina puede ser normal o incluso estar elevada, sin embargo su actividad está disminuida.

La falta de insulina en los niños les confiere ciertas características especiales a su enfermedad, los síntomas son más agresivos y requieren de la aplicación de insulina de por vida. En los adultos, el tratamiento de la diabetes puede ser llevado a cabo con dietas y tabletas hipoglucemiantes, aunque en ocasiones también pueden requerir insulina.

# ¿CÓMO SE MANIFIESTA LA ENFERMEDAD?

La enfermedad se manifiesta de manera muy agresiva en los niños. Rápidamente se va deteriorando su estado general, tienen mucha sed y orinan abundantemente –en niños que ya controlaban su vejiga pueden volverse a presentar accidentes nocturnos–. Al poco tiempo (apenas días o semanas) las condiciones de ellos empeoran: pierden peso, decaen mucho, pierden el apetito y la situación puede llegar a producir la muerte –siempre y cuando no haya un tratamiento adecuado y a tiempo–.

La diabetes tipo 1 es la que se presenta con más frecuencia en los niños; por eso se la llamó diabetes juvenil. Aunque ciertas investigaciones recientes demostraron que este tipo de diabetes también aparece en los adultos y que en los niños es cada vez más frecuente la diabetes tipo 2. Este incremento se produce a causa de la obesidad, cada vez mayor en los niños, y debido al estilo de vida sedentario que predomina en la sociedad actual. En los niños, los síntomas de la diabetes se desarrollan velozmente; éstos son: mucha sed y mucha orina, incluso es frecuente que mojen la cama. Además, empiezan a comer más de lo normal, pero bajan de peso, pierden energía, tienen visión borrosa, dolor en las piernas, en el abdomen y hasta dificultades para respirar.

A veces, estos síntomas se confunden con infecciones estomacales o de las vías urinarias.

 No obstante, el especialista –médico– debe reconocer los síntomas y realizar una prueba de sangre para verificar si los niveles de la glucosa son normales o no. ___

Si los padres descubren que tienen un hijo con diabetes, como primera medida deben enfrentar la enfermedad en forma positiva y organizada.

El paso siguiente consistirá en centrarse en el programa de tratamiento inmediato que necesita el niño. Es necesario que los padres se
vayan informando sobre el tema, que vayan aprendiendo y conociendo
de qué se trata la diabetes, en forma gradual pero completa, consul-
tando todo tipo de dudas con el médico o con el educador de diabetes.

Se les pueden hacer ciertas recomendaciones a los padres para
enfrentar los aspectos básicos de la enfermedad.

Por ejemplo:

- Manejo de la aplicación de inyecciones de insulina.
- Manejo de hipoglucemia e hiperglucemia.
- Monitoreo de glucosa y cetonas.
- Dietas adecuadas.
- Ejercicios físicos recomendables.
- Reglas para el cuidado durante los días de enfermedad.

 **INFORMACIÓN QUE LOS NIÑOS DIABÉTICOS DEBEN CONOCER**

Algunos niños, dependiendo del grado de madurez y de
su edad, pueden llegar a inyectarse solos –específicamente a partir de los 12 años–. Sin embargo, se suele
recomendar que los padres compartan esa experiencia
con sus hijos. Es necesario que haya un diálogo fluido
entre padres e hijos, para poder enfrentar juntos las de-
mandas de la enfermedad.

## APRENDER A COMPARTIR LAS RESPONSABILIDADES

Es normal que la dinámica familiar se modifique a medida que
los padres vayan haciendo de sus hijos personas más conscientes

en relación con su enfermedad. A veces, es necesario transferir cierto grado de responsabilidad a otras personas, como ser: familiares, amigos, maestros. No todo el tiempo los padres van a poder estar al lado de sus hijos y por eso es importante aceptar la ayuda de otros, para hacer más fácil la tarea.

## RECOMENDACIONES

Para un buen control de la diabetes en los niños es importante recordar los siguientes consejos:

- Consumir alimentos en horas regulares y en cantidad suficiente, nunca excesiva.
- Monitorear, como mínimo, cuatro veces al día los niveles de glucosa.
- Ajustar las dosis de insulina según la dieta y los ejercicios.
- Hacer ejercicio como parte del tratamiento, en forma regular y constante.
- Comprender que el cuidado de la diabetes varía según cada persona, es individual.

La diabetes, tanto en el niño como en el adulto, es una enfermedad que no se cura, pero sí se puede controlar de manera tal que la persona puede llevar una vida común y corriente.

## CUIDADOS DURANTE LAS VACACIONES

Con las vacaciones también llegan los problemas para controlar adecuadamente la diabetes, debido a los cambios de horario y de hábitos alimenticios.

# → *Cambios de horario:*

En algunos casos, los niños suelen acostarse más tarde (en el período vacacional), por ende, duermen hasta más tarde en la mañana,
lo cual implica que puede cambiar la hora de aplicación de la insulina. Es decir que la "hora pico" de la insulina puede no coincidir con
las horas de merienda ya establecidas. Además, el desayuno y el almuerzo suelen ser más seguidos (porque el niño se levanta más tarde y a la tarde sale a jugar o va a la playa). La importancia radica en
cómo lograr un balance entre la dosis de insulina y la cena, alrededor de todas las actividades que lleva a cabo el niño durante el día y
poder mantener un nivel estable de glucemia.

Estrategias para el control

- Mantener al niño dentro de su hora y media (como ocurre dentro
  de su horario regular en días de colegio). Es decir: por ejemplo, si
  el niño suele levantarse a las 7:00 e inyectarse insulina a las 7:30,
  durante las vacaciones se debe tratar de levantarlo como máximo
  a las 8:30 para que se inyecte a las 9:00. Si el niño quiere seguir
  durmiendo, puede volver a la cama luego de haberse colocado su
  insulina y tras haber desayunado.

- Durante las vacaciones, una merienda (a media mañana) no será
  necesaria, a no ser que el niño tenga mucha actividad durante las
  mañanas. De todas maneras, se recomienda que utilice las calorías de la merienda de media mañana (que nunca hizo) en una comida o merienda de la tarde o noche, cuando el niño suele tener
  mayor actividad. No hay que dejar de proporcionarle estas calorías (las que están presentes en la merienda de media mañana),
  ya que el niño (alrededor de los seis o siete años) está en pleno
  crecimiento y necesita cierta cantidad de alimentos todos los días.

En los casos de niños menores a seis años, no deberían dejar de hacer su merienda de media mañana. Pero siempre es importante consultar esto con el nutricionista, para recibir su asesoramiento en cuanto a los cambios de los patrones alimenticios.

■ Aquellos niños que realicen mucha actividad por la tarde, van a necesitar una merienda alrededor de las 19:30 y un complemento alimenticio después de la cena, antes de ir a dormir.

■ Valiéndose de la ayuda del médico más la del educador en diabetes, los padres podrán conocer mejor la acción de la insulina de sus hijos y, así, saber cuándo será su pico de acción al alcanzar la insulina su mayor potencia. De esta manera, se podrán planificar los horarios de las comidas y de las meriendas durante las vacaciones.

■ A veces ocurre que se presenta un juego de pelota en el horario de la cena. Lo ideal sería que el niño tuviera una merienda abundante antes de jugar, más la dosis de insulina y una cena después de jugar; todo eso suele ser efectivo.

Para decidir qué plan tendrá los mejores resultados en el control de la diabetes de los niños, hay que tener en cuenta sus horarios, los patrones alimenticios y los controles de glucosa en la sangre habituales.

Otra recomendación es chequear frecuentemente los niveles de glucemia capilar del niño antes, durante y después del juego, para tener una idea de cómo una actividad en particular puede afectar los niveles de glucemia. Con esta información, se pueden establecer las cantidades y los tipos de comida que se le deberá dar al niño, en qué horarios y cómo ajustar la dosis de insulina.

# ➜ *Incremento de actividad:*

Un incremento de la actividad y un menor grado de estrés contribuirán a un menor requerimiento de insulina.

A veces, se produce la falta de apetito debido al calor, y esto puede ser también un factor para que algunos niños estén hipoglucémicos durante los primeros días de vacaciones, hasta poder ajustar sus dosis de insulina.

## Estrategias para el control

- Si el niño ya ha experimentado hipoglucemia al comienzo de vacaciones anteriores, es posible que el padre o la madre piensen disminuir la dosis de insulina de él inmediatamente, pero primero se debe hablar con el médico antes de poner en práctica estos ajustes.

- Cuando los niños practican ejercicios, sus organismos, por lo general, requieren más alimento para contrarrestar las calorías quemadas. Hay que dejar que los chicos satisfagan esas necesidades, siempre y cuando estén en su peso normal. Para ello, los padres pueden darle a sus hijos meriendas frecuentes y sustanciosas para balancear los efectos hipoglucemiantes del ejercicio.

- En caso de que el niño tenga sobrepeso corporal, se debe hacer una consulta con el médico acerca de la posibilidad de reducir su dosis de insulina para que, de ese modo, no necesite comer más para contrarrestar el efecto hipoglucemiante del ejercicio. Con menos insulina se requiere menos comida para balancear sus efectos, y menos comida hace que se controle mejor el peso corporal del niño.

- Cuando el ejercicio sea muy fuerte y prolongado, las dos estrategias, es decir: la reducción de la dosis de insulina y el aumento de la comida, resultan ser necesarias.

- La natación es un caso especial; los instructores suelen recomendar no comer nada sólido antes de nadar. Si embargo, una comida una hora antes de entrar en el agua, seguida de descansos cada veinte a treinta minutos para tomar jugo, tabletas de glucosa o una bebida que tenga carbohidratos, balancean la glucosa que se pierde durante ese deporte.

- Si un niño es muy activo, ya sea en la playa o en cualquier lugar, puede causar problemas si sus padres no lo pueden controlar suficientemente para que tome sus meriendas a tiempo. Los adultos deben asegurarse tener a mano suficiente comida saludable; bebidas de dieta y bebidas comunes.

- Cuando son días de ejercicio muy fuerte, se deberá chequear el nivel de glucemia de los niños antes de que se vayan a dormir y, eventualmente, durante la noche. Otra recomendación es realizar un monitoreo a media noche, a pesar de que el niño haya tomado una buena merienda o haya tenido un nivel de glucemia razonablemente alto antes de dormir. Ahora bien, si el nivel de glucemia es menor a 100 mg/dl durante la noche, va a ser necesario darle un poco de jugo y unas galletas para evitar una posible hipoglucemia.

- También el niño deberá rotar los sitios de inyección de la insulina en su cuerpo. Por ejemplo, si se inyecta en el muslo, la insulina será más rápidamente absorbida durante un juego de fútbol. Se prefiere la zona del abdomen.

## → *Viajes:*

Otra situación que puede alterar el tratamiento es cuando se realizan viajes de muchas horas, en tren, micro, auto o avión, debido a la inactividad de estar sentados mucho tiempo y debido al desorden en las meriendas. La recomendación es que los padres les den de comer a los niños en aquellos momentos en los que están inquietos. De todas maneras, deberán tomar muchos recaudos para evitar confundir los horarios de las meriendas y de la aplicación de insulina.

### Estrategias para el control

- Antes de viajar, por ejemplo, en auto, se recomienda a los padres que tengan a mano comidas saludables, para no depender de las comidas (que suelen ser no saludables) que encuentran en los puestos de la ruta. Deberán incluir vegetales (por ejemplo: zanahorias rebanadas) y bebidas acordes. También es bueno que los padres lleven juegos para mantener distraídos y ocupados a sus hijos.

- Si se va a realizar un viaje en avión, hay que preguntar con anticipación si el vuelo incluye alguna merienda o comida. Una comida regular (sin postre) es suficientemente saludable para los niños. De todas maneras, es bueno que los padres lleven comida extra, como por ejemplo: frutas o galletas.

- Si se hacen viajes a lugares donde hay diferencia de horario, una pequeña alteración en la merienda puede ser suficiente para cubrir las necesidades del niño provocadas por ese cambio de horario. Cualquier diferencia de horario que sea mayor de una hora puede afectar el control de la diabetes; por ende, los padres deberán buscar la forma de ajustar el régimen y el horario de administración de insulina. Esto se puede hacer en conjunto con el médico, estableciendo un horario donde se tome en cuenta: la acción de la insulina, los horarios usuales de comidas, las meriendas y el cambio de horario del lugar al cual se viajará. También es útil y necesario llevar el monitor de glucosa, la insulina y las inyectadoras.

- No hay que olvidarse de empacar provisiones extras de insulina, inyectadoras y glucagón, ya que quizás pueda no llegarse a conseguir las medicinas necesarias en el lugar al que se viajará.

- Tratar de no viajar nunca a lugares desconocidos o desolados sin glucagón.

### → Cuando los niños no duermen en su casa:

Si los niños van a dormir en casas ajenas, se deberán tomar en cuenta ciertas medidas de seguridad. Los adultos que vayan a estar a cargo de ellos (abuelos, tíos, primos, etc.) deberán saber todo lo relacionado con la enfermedad, todos los aspectos básicos, no sólo por el bienestar de los niños, sino también para su propia tranquilidad.

Estrategias para el control

- Los padres deberán explicarle bien a las personas que se harán cargo de sus hijos acerca de los aspectos básicos del control de la diabetes.

- Además, deberán dejarles el número de teléfono del médico de sus hijos, el horario de comidas y una provisión extra de medicinas y cintas reactivas.

- Asegurarse de que en esa casa tengan los números de emergencia que sean necesarios.

# ➜ *Otros aspectos a tener en cuenta:*

- Por lo general, uno de los placeres de las vacaciones es caminar descalzo. Si el niño mantiene niveles de glucemia razonablemente controlados, cualquier corte o herida que se le produzca deberá cicatrizar bien. Por otro lado, los niveles de glucemia, constantemente elevados, pueden producir infecciones, por lo que en este caso es recomendable evitar problemas andando con calzado.

- En cuanto al bronceado, los padres deben tener en cuenta que los bronceadores contribuyen a la deshidratación y la resequedad de la piel. Los niños con diabetes son más susceptibles a estas condiciones, especialmente cuando tienen un nivel elevado de glucemia.

## Estrategias frente a casos de insolación

- Síntomas que pueden aparecer:
  - Enrojecimiento de la piel y dolor en los roces.
  - Dilatación de la pupila.
  - Piel seca (pueden llegar a formarse ampollas).
  - Pulso rápido, respiración dificultosa.
  - Fiebre y dolor de cabeza.

- Recomendaciones a seguir:
  - Poner a la persona en un sitio fresco.
  - Cubrirle la cabeza con paños fríos.
  - Si la persona está vestida, desajustarle la ropa.
  - Si pierde el conocimiento, colocarlo en posición horizontal, con las piernas más elevadas que el resto del cuerpo.
  - Llamar con urgencia al médico.

# ■ Diabetes en personas delgadas

Suele creerse que la diabetes sólo se produce en las personas obesas. Sin embargo, las personas delgadas no sólo corren el riesgo de desarrollar la diabetes tipo 1, sino también la del tipo 2. Muchas veces las personas delgadas dudan acerca de su diagnóstico, y no asocian su pérdida de peso con la diabetes.

En la diabetes tipo 1, los pacientes suelen estar delgados y deberían recibir un aporte energético suficiente para alcanzar un peso corporal deseable.

Por ello es importante cumplir con el horario, la regularidad y la composición de las comidas. Se aconseja que se consuman seis comidas al día (desayuno, merienda, almuerzo, merienda, comida y cena).

La distribución de energía total debería ser de la siguiente forma:

- Desayuno: 20%
- Merienda: 10%
- Almuerzo: 30%
- Merienda: 10%
- Comida: 25%
- Cena: 5%

# ■ Diabetes en mujeres embarazadas

Es una regla decir que los diabéticos se deben cuidar y controlar siempre. Pero hay ciertas situaciones o estados que requieren que los diabéticos se cuiden mucho más aún.

Una de esas situaciones es el embarazo. Durante ese período, el organismo está en constantes cambios para poder lograr que el bebé se vaya formando y desarrollando. Durante estos cambios es muy importante cuidar el nivel de glucosa y procurar que se mantenga estable. De lo contrario, las oscilaciones excesivas de la glucosa (el aumento de ella, por ejemplo) pueden causar problemas tanto para la madre como para el feto.

La mujer diabética que quiere tener un hijo debe tener en cuenta los siguientes aspectos:

- programar el embarazo con antelación, para poder comenzarlo con la glucosa estabilizada en un valor normal;
- durante la gestación deberá realizar controles frecuentes y ajustar la dosis de insulina;
- el parto también debe ser programado, cabe la posibilidad de que se tenga que adelantar o realizar mediante cesárea;
- es necesario que el bebé reciba atención especializada, porque tiene mayor riesgo de sufrir problemas respiratorios y metabólicos.

Durante los nueve meses de gestación es imprescindible que la mamá aumente la insulina para incrementar las reservas de energía. Puede ocurrir que el organismo no produzca el aumento adecuado de dicha sustancia, y surge lo que se denomina diabetes gestacional (ver pág. 27).

El embarazo es el período en el que más cuidados requiere la persona diabética. Se necesita mantener una buena salud para responder favorablemente ante los cambios que se van produciendo.

Antes de que apareciera la insulina, eran pocas las mujeres con diabetes que lograban quedar embarazadas, y si lo lograban, muchas veces los bebés no sobrevivían o presentaban diferentes malformaciones.

Lo positivo, en la actualidad, es que los riesgos que implica el embarazo de las mujeres con diabetes son casi los mismos que los de cualquier mujer, siempre y cuando los niveles de glucosa se mantengan lo más cercano posible a los normales, desde antes de la concepción.

La clave está en lograr mantener un control estricto de los niveles de glucosa.

# COMPLICACIONES PARA EL BEBÉ

Las complicaciones que pueden aparecer en los bebés, en presencia de cualquier tipo de diabetes, son las mismas.

El mayor número de defectos y complicaciones en los bebés se relaciona con los niveles altos de glucosa durante los primeros dos meses del embarazo. Esto se produce porque durante este tiempo los órganos del bebé se están formando, y como las mujeres usualmente no saben que están embarazadas desde el primer día, es necesario que lleven un control de sus niveles de glucosa desde unos tres hasta seis meses antes.

Las complicaciones en los bebés pueden ser las siguientes:

- Hipoglucemia: cuando el bebé está en la placenta recibe más glucosa de la que necesita, su cuerpo empieza a producir más insulina para poder regular este exceso. Después de nacer, el bebé sigue produciendo gran cantidad de insulina, pero ya no recibe glucosa a través de la sangre materna, entonces puede sufrir una hipoglucemia (descenso de glucosa).

- Ictericia: aparece cuando la sangre del bebé tiene gran cantidad de glóbulos rojos de los que no se puede deshacer debido a que el hígado se encuentra debilitado. Esta situación se puede complicar tanto que el bebé puede llegar a necesitar una transfusión externa de sangre.

- Macrosomía: término que se refiere a bebés que son demasiado grandes. Si durante el embarazo el bebé recibe constantemente mayor cantidad de glucosa de la que necesita, es completamente normal y lógico que crezca mucho; esto no es algo positivo porque todo el alimento que el bebé incorpora y no necesita lo va acumulando en forma de grasa.

- **Problemas respiratorios:** la diabetes gestacional puede ocasionar que el desarrollo pulmonar no se lleve a cabo de manera adecuada, entonces, puede llegar a ser necesario que el bebé requiera un aparato de respiración artificial y tenga que permanecer en el hospital hasta que pueda respirar por sí mismo.

- Nacer muerto o muerte neonatal.

## COMPLICACIONES PARA LA MAMÁ

- **Diabetes:** si la mujer ya tuvo diabetes gestacional en embarazos previos o si es la primera vez que la desarrolla, hay altas probabilidades de que la vuelva a tener en embarazos futuros. Este tipo de diabetes, aunque es pasajera, aumenta el riesgo de tener diabetes tipo 2 en un futuro.

- **Preeclampsia:** es cuando existe presión arterial elevada provocada por el embarazo. La embarazada puede tener las piernas muy hinchadas y presentar una embarazo tan riesgoso que sea necesario hospitalizarla durante todo su embarazo.

- **Cetonas:** cuando los niveles de glucosa en sangre están elevados y el cuerpo no puede usarla como fuente de energía comienza a alimentarse de la grasa del cuerpo y forma unos ácidos llamados cetonas. Estos ácidos se encuentran en la sangre y pueden causar fácilmente daños severos al bebé, y poner en riesgo la vida de la madre.

- **Parto prematuro:** se puede tener un parto prematuro debido al estrechamiento del útero, por causa de una cantidad excesiva de líquido amniótico.

- **Infecciones en las vías urinarias:** este tipo de infecciones son muy comunes en las mujeres con diabetes gestacional. Se producen debido a que la glucosa en la orina permite que crezcan más fácilmente hongos y bacterias.

## RECOMENDACIONES PARA LA EMBARAZADA

A continuación, les ofrecemos una lista con los pasos más importantes para que el embarazo sea lo más normal posible:

- Monitorear la glucosa y las cetonas de manera frecuente.
- Mantener niveles óptimos de glucosa.
- Evitar una cetosis.
- Tener una alimentación adecuada, ajustándola de acuerdo con el trimestre de embarazo en el que se esté.
- Tratar de comer lo suficiente y no gastar toda la energía.
- Mantener una rutina de ejercicios.
- Regular el uso de la insulina, para satisfacer las necesidades del bebé.
- Si se necesita tomar o inyectar algún medicamento, deben ser sólo los indicados por el médico.

## LA IMPORTANCIA DE LA LACTANCIA

Es un hecho que la lactancia común sea la mejor opción para el recién nacido.

Afortunadamente, en la mayoría de los casos de las mujeres que tienen diabetes o diabetes gestacional, la lactancia materna es posible y es la mejor opción. Lo único que necesita una embarazada es estar bien informada sobre cómo hacerlo.

Para muchas mujeres, al principio, la lactancia no es algo fácil y esto se debe más que nada a la falta de información sobre el tema. Hay muchos temas que la mujer debe conocer acerca de la lactancia: por ejemplo: modificaciones en los senos durante el embarazo y principalmente durante la lactancia, posiciones correctas en las que se debe colocar al bebé, qué hacer cuando los pezones duelen, cómo saber si el bebé esta comiendo lo necesario, y cómo aumenta o disminuye la reserva de leche.

> **→ La lactancia no sólo es la mejor opción para los recién nacidos, también lo es para las madres, incluyendo a aquellas que tienen diabetes, ya que ayuda a controlar los niveles de glucosa.**

Además, la leche materna es un alimento rico en nutrientes, y brinda a los bebés anticuerpos que les ayudan a luchar contra gran cantidad de enfermedades e infecciones.

Muchos estudios indican que los bebés no necesitan consumir ningún tipo de alimento sólido ni líquido durante los primeros cuatro meses de vida (a excepción de la leche materna, claro está).

Los beneficios de la lactancia materna no son sólo físicos, también son psicológicos. Amamantar al bebé crea lazos incomparables e indescriptibles entre la madre y el hijo, que perduran toda la vida.

Recién a partir de los cuatro o seis meses de vida se pueden ir agregando algunos otros alimentos a la dieta, para complementar la leche materna.

Los alimentos complementarios deben introducirse uno a uno, para poder detectar si el bebé es alérgico a algún alimento o no.

Ya a partir del primer año de edad el niño puede estar consumiendo una dieta muy similar a la del resto de su familia.

**Beneficios que puede tener la lactancia:**

- Estimula la unión entre el bebé y su madre (y viceversa).
- Pérdida del peso aumentado por el embarazo.
- Reduce la incidencia y severidad de infecciones en los oídos.
- Protege contra enfermedades crónicas como osteoporosis.
- Disminuye la incidencia de infecciones respiratorias.
- Disminuye los riesgos de cáncer de ovarios y pecho.
- Los niveles de colesterol bajan.

# CAPÍTULO 5

 **Tratamientos existentes en la actualidad**

# Tratamiento con insulina

El páncreas es quien se encarga de producir la insulina. Esta hormona es necesaria para el cumplimiento del proceso del metabolismo, donde los alimentos digeridos se transforman en energía, totalmente necesaria para el organismo.

Cuando hay carencia de insulina, la glucosa —una forma de azúcar producida cuando son digeridos azúcares y almidones— no puede ser utilizada como corresponde, por lo tanto termina concentrándose en el flujo sanguíneo y llega a alcanzar altos niveles. Ahí es cuando se filtra por la orina.

Las personas que tienen la diabetes tipo 1 no logran producir la insulina suficiente para sus cuerpos; por eso es que deben inyectarse diariamente insulina, para transformar la glucosa en energía.

En este caso, la insulina debe ser administrada por inyecciones (para ser absorbida lentamente por el flujo sanguíneo), ya que si se la utiliza mediante pastillas, los jugos digestivos del organismo la destruyen.

Cada paciente debe estar al tanto de los tipos de insulina —por qué es necesaria, cómo actúa, etc.—, aunque sea el médico el encargado de recetarla.

## ■ Tipos de insulina y sus potencias

Las siguientes son las principales características para tener en cuenta y que pueden ayudar al diabético (y a su médico) a decidir qué insulina es mejor:
1. Arranque ■ 2. Hora pico ■ 3. Duración

→ 1. Arranque: se llama así al tiempo que la insulina tarda en llegar al flujo sanguíneo y comienza a reducir los niveles de glucosa.

→ 2. Hora pico: pertenece al momento en que la insulina alcanza su mayor potencia, en cuanto a la reducción de nivel de glucosa en la sangre.

→ 3. Duración: es el tiempo que la insulina continúa reduciendo el nivel de glucosa en la sangre.

Teniendo en cuenta estas características, existen:

- Insulinas de acción rápida (regular o cristalina), con un arranque de 5 a 15 minutos; hora pico de 45 a 90 minutos y duración de 3 a 4 horas.
- Insulinas de acción breve, con un arranque de 30 minutos; hora pico de 2 a 5 horas y duración de 5 a 8 horas.
- Insulina de acción intermedia, con un arranque de 1 a 3 horas; hora pico de 6 a 12 horas y duración de 16 a 24 horas.
- Insulina de acción ultralenta, con un arranque de 4 a 6 horas; hora pico de 8 a 20 horas y duración de 24 a 28 horas.

Las insulinas vienen disueltas en líquido. Sin embargo, cada solución tiene diferentes potencias, por ejemplo: U-100 (100 unidades de insulina por mililitro de fluido); U-80, U-40: usadas en países de Latinoamérica y Europa. Lógicamente, cada potencia de insulina va a requerir una inyectadora adecuada (es decir, insulinas de U-100 deberán ser utilizadas con inyectadoras de U-100, etc.), porque si se coloca una insulina de U-100 en una inyectadora de U-40, se tendrá dos veces más de la cantidad de insulina que se necesita y esto puede provocar hipoglucemia.

# ■ Procedencia de las distintas insulinas

Las insulinas pueden proceder de animales (porcino o bovino) y de los humanos (humana semisintética y humana recombinante). En la actualidad, las insulinas que más se utilizan son las de procedencia humana ya que, además de ser absorbidas rápidamente, tienen menos riesgo de causar reacciones alérgicas.

Insulina humana semisintética:
Es producida cuando se convierte la insulina de cerdo en una forma "idéntica" a la insulina humana.

Insulina humana recombinante:
Se elabora a través de Ingeniería Genética, mediante un proceso químico que hace posible elaborar cantidades ilimitadas de insulina humana. Se está convirtiendo en la insulina más usada.

Con frecuencia, a los pacientes se les enseña a inyectarse una determinada dosis de insulina de acción rápida más una de insulina de acción intermedia, en la misma inyectadora. En algunos casos, también se pueden utilizar insulinas premezcladas (70/30), es decir, contienen 70% de insulina NPH y 30% de insulina regular. Pero siempre queda a criterio del médico, que es el único que puede indicar estas combinaciones.

## ADITIVOS

Todas las insulinas contienen ingredientes agregados, con esto se previene el crecimiento de bacterias y se ayuda a mantener un balance neutral entre ácidos y bases. En el caso de las insulinas de acción intermedia y lenta, éstas además contienen ingredientes que hacen que su acción sea más duradera y varían de acuerdo con las diferentes marcas (de la misma insulina). Hay que tener en cuenta que, en algunos casos, los aditivos pueden provocar reacciones alérgicas.

## ALMACENAJE Y SEGURIDAD

Por lo general, se recomienda almacenar la insulina en la heladera pero, a veces, la inyección de insulina fría puede causar mucho dolor; por lo tanto, un consejo sería sacarla unos minutos antes de ser utilizada para que vaya perdiendo temperatura. No se debe almacenar insulina a temperaturas extremas, ni exponerla a la luz directa del sol.

## FECHA DE EXPIRACIÓN

Hay que estar atento a las fechas de expiración; cada vez que se realice una compra, se deberá chequear la fecha indicada en cada frasco de insulina. Si está vencida, lógicamente, hay que dársela al farmacéutico y cambiarla por otra que no esté vencida.

Además, se aconseja revisar el aspecto de la insulina antes de que sea utilizada (coloración, si tiene cristales o "pedazos", etc.).

También hay que revisar las etiquetas antes de abrir los frascos, para cerciorarse de que sea la insulina que se está buscando (teniendo en cuenta: el nombre de la marca comercial, la potencia y el tipo de insulina).

Se deberá revisar que la potencia de la insulina coincida con la que indique la inyectadora que se suele utilizar.

# ■ Efectos secundarios de la insulina

## ALERGIAS

Hay episodios en que las personas son alérgicas a la proteína que contienen las insulinas de vaca y de cerdo. En estos casos, puede haber irritación o picazón en la zona de inyección, cuando una persona comienza a utilizar insulina. Por lo general, estas reacciones alérgicas suelen desaparecer tras algunas semanas. Además, hay que tener en cuenta que las insulinas de hoy en día son más puras y reducen la incidencia de reacciones alérgicas.

## ALERGIA A LA PROPIA INSULINA

También sucede que, a veces, una persona diabética puede ser alérgica a la propia insulina. Por ello, deberán ser desensibilizadas mediante una terapia de inyecciones con incremento progresivo de dosis, es decir, se les van inyectando pequeñas cantidades de insulina y, poco a poco, se les van incrementando las dosis hasta llegar a la dosis de insulina indicada.

## RESISTENCIA A LA INSULINA

En el caso de las personas con diabetes tipo 1 (insulinodependientes), la resistencia a la insulina se produce cuando sus organismos generan gran cantidad de anticuerpos a la insulina que se inyectan. Las nuevas insulinas pueden reducir este problema.

En el caso de las personas con diabetes tipo 2 (no insulinodependientes), la obesidad es, generalmente, la causa de la resistencia a la insulina. Para que desaparezca el problema habría que mantener el peso corporal adecuado.

## ATROFIA E HIPERTROFIA

Otro efecto que puede producirse es la llamada atrofia (es decir, el desgaste de los tejidos grasos debajo de la piel). Se produce en las zonas de inyección, dejando un ligero hundimiento en la piel.

Por su parte, la hipertrofia (hinchazón del tejido graso) se reconoce por el abultamiento en las zonas de inyección.

Ambos problemas se reducen utilizando las nuevas insulinas (insulina humana) y, también, rotando en forma regular los sitios de inyección.

# ■ Métodos de administración de insulina

## INYECTADORAS DE INSULINA

Es el método más común de administración de insulina. Vienen para las diferentes potencias (U–40, U–80 y U–100). También pueden venir clasificadas según la capacidad de dosis de insulina (30, 50 y 100 unidades). Lo primero que se debe tener en cuenta es que se esté utilizando la inyectadora que se corresponda con la potencia de la insulina necesitada.

También es importante prestar atención al desecho de las inyectadoras; la forma más segura de tirarlas es colocándolas en un recipiente resistente que pueda ser sellado antes de meterlo en el basurero.

# OTROS MÉTODOS

Con las constantes investigaciones y los avances en la medicina, se han obtenido más y mejores métodos para la administración de insulina (en pacientes con diabetes tipo 1). Por ejemplo:

➤ Inyectores Jet: consisten en un aparato que no tiene aguja y que introduce la insulina dentro de la piel mediante un delgado chorro a presión (disparado por el inyector jet).

➤ Plumas de insulina: consisten en un aparato con la apariencia de una pluma fuente que contiene la cantidad de insulina que se requiere en un momento determinado y tienen la ventaja de que la persona no tiene que estar cargando con inyectadoras ni con frascos de insulina.

➤ Bombas de insulina: aparecieron en el mercado de Estados Unidos a finales de los años 70. Se encargan de administrar pequeñas dosis de un tipo de insulina cristalina o regular neutralizada (acción rápida), de manera continua, durante el día y la noche. Esta insulina es bombeada desde un pequeño contenedor que la almacena a través de un tubo de plástico hacia una aguja colocada en la piel. Las bombas de insulina constituyen la alternativa más cercana a la acción de un páncreas normal. Además, son cada vez más livianas, delgadas y precisas al administrar insulina.

➤ Método de infusión: consiste en la implantación de una aguja en la piel durante varios días, de manera que sirva como "puerta" para las inyecciones.

## ATENCIÓN

### EL TRATAMIENTO INSULÍNICO INTENSIVO NO DEBE SER RECOMENDADO:

■ En niños menores de siete años, por el efecto deletéreo que la hipoglucemia puede tener sobre el desarrollo cognitivo;

■ en diabéticos con neuropatía autonómica severa, por el riesgo de sufrir hipoglucemias inadvertidas;

■ en pacientes con trastornos mentales graves, que no pueden hacerse responsables de un tratamiento intensivo;

■ en los ancianos;

■ en los cardiópatas o personas con antecedentes de accidentes cerebrovasculares, en los que la hipoglucemia puede tener serias consecuencias.

# Medicamentos orales

La mayoría de las personas que padecen la diabetes tipo 2 no necesita ser tratada con insulina. Alrededor de un 25% sólo requiere ser tratado a través de dietas y programas de ejercicios y un 50% es tratado mediante medicamentos orales, denominados hipoglucemiantes orales, para mantener los niveles de azúcar en sangre con valores lo más cercanos a lo normal como sea posible.

Los hipoglucemiantes orales son pastillas que se usan para reducir el azúcar en la sangre, pero no son pastillas de insulina. La clase más común de medicamentos orales para la diabetes pertenece al grupo llamado sulfonilureas, y han sido usadas durante más de 30 años. Las sulfonilureas reducen los niveles de azúcar en la sangre ya que:

- estimulan el páncreas para que segregue más insulina;
- hacen que los tejidos del cuerpo sean más sensibles a la insulina producida.

Para mucha gente que padece la diabetes tipo 2, los medicamentos orales son extremadamente efectivos. A veces, el medicamento puede perder efectividad después de años de uso, por lo que, en ese caso, se recomienda iniciar un tratamiento con insulina.

## ■ ¿Cuándo se recomiendan los hipoglucemiantes orales?

Como primera medida, en los pacientes que sufren la diabetes tipo 2 se indican las dietas adecuadas y un buen ejercicio, debido a que el sobrepeso es una de las principales causas de este tipo de diabetes. Al perder peso y hacer ejercicio se ayuda a las células del cuerpo a utilizar su insulina con mayor eficiencia; así, en muchos casos, las personas con este tipo de diabetes logran mantener sus niveles de glucemia dentro de los valores normales, sin que sea necesario aplicar tratamientos adicionales.

Pero si los niveles de azúcar en la sangre continúan siendo altos después de hacer estos cambios (dietas y gimnasia), hay que dar otro paso en el tratamiento y ahora sí recurrir a los hipoglucemiantes orales (en algunos casos, incluso, hasta se podría requerir insulina).

## HIPERGLUCEMIANTES DISPONIBLES EN LA ACTUALIDAD

En la actualidad existen tres tipos de hipoglucemiantes orales que actúan de diferentes maneras para reducir los niveles de glucosa en la sangre. Estos son:

1 ■ El primer tipo son las sulfonilureas, que estimulan las células beta para que segreguen mayor cantidad de insulina. Son medicamentos que han sido usados desde 1950. Pueden dividirse en sulfonilureas de primera generación (usadas a mediados de los 60), sulfonilureas de segunda generación (introducidas a mediados de los 80) y sulfonilureas de tercera generación.
Debido a que las sulfonilureas estimulan la secreción de insulina, se debe estar atento a las hipoglucemias (bajo nivel de azúcar en la sangre). Además, las sulfonilureas están contraindicadas en el embarazo.

➜ Sulfonilureas de la primera generación:

-nombre genérico:
- Clorpropamida.
- Tolazamida.
- Tolbutamida.
- Acetohexamida.

➜ Sulfonilureas de la segunda generación:

-nombre genérico:
- Glibenclamida.
- Glipizida.
- Gliburida.
- Gliquidona.
- Glicazida.

➜ Sulfonilureas de la tercera generación:
- Glimepiride.

2 ▪ El segundo tipo de medicamentos orales ayudan a la insulina (que está presente en el organismo) a trabajar mejor. Se dividen en:

➜ Metformina (glucofage): es una biguanida que ayuda a la insulina a trabajar mejor, sobre todo en el hígado. Puede tener como efecto secundario la diarrea, pero esto puede mejorar cuando el medicamento se tome con las comidas.

➜ Los glitazones, rosiglitazones (Avandia) y pioglitazones (Actose): forman un grupo de medicamentos llamados tiazolidindiona que ayudan a la insulina a trabajar mejor en los músculos y en las grasas. Los glitazones pueden producir serios efectos secundarios en el hígado.

3 ▪ El tercer tipo de medicamentos orales son considerados antihiperglucemiantes, acarbose, precose y meglitol (Glyset), ya que

son inhibidores alfa-glucosidasa que retardan la absorción de glucosa en el organismo. Este tipo de medicamentos puede producir efectos secundarios, incluyendo gases y diarrea.

## DOSIS RECOMENDADA

Una vez que se ha seleccionado el tipo de hipoglucemiante oral adecuado, el médico inicia al paciente con dosis bajas. A medida que van pasando las semanas, la dosis se puede incrementar hasta lograr el control de azúcar deseado.

Cuando la dosis más alta recomendada no dé resultados apropiados, el médico indicará un hipoglucemiante más poderoso y hasta recomendará el uso de insulina. Por el contrario, si se logra un buen control con la dosis inicial, ésta se puede reducir hasta poder ser eliminada. En estos casos, el paciente puede lograr un buen control de su enfermedad a través de una dieta y ejercicios adecuados.

# CAPÍTULO 6

 **Alteraciones y enfermedades asociadas a la diabetes**

# Alteraciones y trastornos más comunes

La diabetes es una enfermedad que puede causar serias complicaciones en las personas que la padecen; algunas de éstas pueden ser crónicas y otras agudas.

Las complicaciones agudas se presentan cuando las concentraciones de glucosa en sangre son demasiado altas o demasiado bajas. Las más comunes son: la hiperglucemia y la hipoglucemia; sin embargo, también se pueden presentar la cetoacidosis y el evento hiperosmolar no cetótico.

Además, se pueden producir infecciones, alteraciones dermatológicas y complicaciones en los pies.

Entre las complicaciones crónicas más frecuentes aparecen: la retinopatía, la neuropatía y la nefropatía. El desarrollo de estas complicaciones se asocia con el control inadecuado de los niveles de glucosa en sangre durante un tiempo prolongado.

Por todo esto, para que la calidad de vida de las personas que tienen diabetes no se vea afectada, es necesario que conozcan cuáles son las complicaciones que se pueden presentar a causa de esta enfermedad y cómo se las puede tratar y hasta prevenir.

## ■ Complicaciones agudas

## HIPERGLUCEMIA

Algunas razones por las cuales se tiene un nivel alto de azúcar en la sangre o hiperglucemia son: comer en abundancia, hacer menos ejercicio de lo normal y utilizar una cantidad insuficiente de medicación. El azúcar en la sangre también puede subir cuando una persona está enferma o siente mucha tensión emocional o estrés.

# HIPOGLUCEMIA

Esta complicación es frecuente en los pacientes que tienen diabetes mellitus tipo 1, cuando realizan un tratamiento intensivo para mantener los niveles glucémicos dentro de la normalidad.

Entre las causas que desencadenan la hipoglucemia figuran: retraso u omisión de una comida, exceso de insulina (sobredosis farmacológica), ejercicio intenso.

El diagnóstico de la hipoglucemia leve se basa en las manifestaciones características de irritabilidad, temblor, sudación, taquicardia y confusión.

El tratamiento dependerá del estado de conciencia del enfermo. Para el caso de un enfermo despierto, sin sobredosis de medicamentos, es suficiente con la administración oral de hidratos de carbono. Para tratar una hipoglucemia leve basta con un taza de leche, jugo de frutas sin ningún tipo de aditivos, una fruta, una barra de cereales, queso o galletitas.

La glucosa por vía intravenosa se le deberá administrar a los pacientes que no puedan alimentarse por vía oral, que tengan alteraciones de conciencia o que estén intoxicados (por ingesta de medicamentos).

Si se está ante la presencia de hipoglucemia grave, en donde el paciente no puede alimentarse por vía oral ni se dispone de una vía intravenosa, se administra glucagón (por vía intramuscular). Con esto también se pueden provocar vómitos.

Además, como parte del tratamiento, se deben ajustar las dietas y los ejercicios físicos.

# CETOACIDOSIS

La cetoacidosis implica una glucemia superior a los 300 mg/dl. Para que ocurra es necesaria la combinación de un déficit de insulina y un aumento de las hormonas contrainsulares, especialmente el glucagón. Esta complicación puede ser la primera manifestación de la diabetes mellitus tipo 1 en un 30% de los casos. En los diabéticos ya conocidos, las causas que producen la cetoacidosis suelen ser: el abandono del tratamiento con insulina, las infecciones, los traumatismos, las transgresiones dietéticas, la cirugía, etc.

Clínicamente la cetoacidosis se manifiesta por náuseas, vómitos y dolor en el abdomen. La temperatura corporal suele ser normal o baja, por lo tanto, la presencia de fiebre indica que hay infección. Si no se trata rápidamente, se desarrolla obnubilación y coma.

Para un tratamiento adecuado de la cetoacidosis, el lugar indicado es una unidad de cuidados intensivos.

- Se hace necesario hidratar al paciente (mediante la administración de líquidos por vía intravenosa). Al principio, se utilizan soluciones salinas isotónicas. Cuando la glucemia disminuye por debajo de los 250 mg/dl, se puede comenzar a administrar suero glucosado al 5%. Así, se podrá seguir administrando insulina hasta controlar la cetosis.

- La insulina se debe utilizar por vía intravenosa o por vía intramuscular; no se debe utilizar por vía subcutánea. Por lo general, se suelen utilizar dosis de entre 8 y 10 unidades por hora.

Si no se ha obtenido respuesta en 4-6 horas es posible que exista una resistencia a la insulina y se requerirá un aumento al doble del ritmo de infusión de insulina.

La mortalidad de la cetoacidosis diabética es del 10%, más que nada por complicaciones tardías. Las principales causas de muerte son: el infarto agudo de miocardio y las infecciones –principalmente la neumonía–. En los niños una causa frecuente de muerte es el edema cerebral.

## EVENTO HIPEROSMOLAR

La descompensación hiperosmolar suele aparecer en los ancianos que tienen un cuadro infeccioso, por ejemplo, neumonía. Las cifras indican que un 35% de los diabéticos que sufren una descompensación hiperosmolar no habían sido previamente diagnosticados de diabetes.

La característica principal es la deshidratación del paciente, quien no suele ingerir suficiente cantidad de líquidos. También pueden producirse manifestaciones neurológicas, como convulsiones o alteraciones del nivel de conciencia.

El tratamiento consiste en la hidratación del paciente. En un principio, se utilizan soluciones salinas isotónicas como suero fisiológico. Una vez que la cifra de glucemia baja y ronda los 250-300 mg/dl se puede usar suelo glucosado al 5%.

Además, se recomienda la utilización de insulina intravenosa en dosis bajas, de forma similar a la cetoacidosis.

En caso de sospechar una infección subyacente, administrar antibióticos.

# ■ Complicaciones crónicas

## RETINOPATÍA

A veces, la diabetes provoca una alteración en los vasos sanguíneos del ojo y produce un daño a la retina. Esto se conoce con el nombre de retinopatía diabética. Esta enfermedad puede llegar a causar ceguera si no es detectada a tiempo, por ello es imprescindible que los diabéticos controlen, con regularidad, su visión.

Ambos tipos de diabetes (1 y 2) pueden dañar los vasos sanguíneos que suministran sangre a la retina, debido al alto nivel de azúcar en sangre y debido a la hipertensión que suele acompañar con frecuencia esta enfermedad metabólica.

Al lesionarse los vasos sanguíneos, se pueden formar ampollas pequeñas –o microaneurismas– que, con frecuencia, explotan y derraman sangre y otros fluidos en los tejidos, haciendo que la retina se inflame. Hasta aquí, la retinopatía puede pasar inadvertida por el diabético y no le llega a provocar deterioro alguno a su visión. Esta etapa se conoce como retinopatía diabética de fondo.

En una etapa más avanzada –retinopatía proliferativa–, la retina trata de formar nuevos vasos sanguíneos para poder reemplazar a los dañados, con el fin de obtener el oxígeno y la nutrición que necesita para funcionar normalmente. Pero sucede que estos vasos son demasiado débiles y tienen más posibilidades de sangrar o derramar fluido. Entonces, si el sangrado se dirige hacia una parte del ojo denominada cuerpo vítreo, la visión se puede deteriorar gravemente.

 La retinopatía se produce, principalmente, por no controlar de manera adecuada la glucemia (es decir, el azúcar en sangre). A pesar de esto, otros factores como el cigarrillo, la hipertensión arterial o la obesidad también contribuyen a la aparición de esta enfermedad.

Generalmente, no hay síntomas durante las primeras etapas de la retinopatía diabética. No obstante, tarde o temprano, la visión puede llegar a volverse borrosa o bloquearse por completo. Aunque hay que tener en cuenta que hasta en los casos más avanzados la enfermedad podría progresar sin señales de alarma durante mucho tiempo. Por eso es importante realizarse exámenes oculares periódicos.

En cuanto al tratamiento, no sólo es imprescindible que el diabético se controle la glucemia, también la cirugía puede llegar a frenar el avance de la retinopatía. Existen dos tipos de tratamiento quirúrgico: el láser Argón y la vitrectomía (una técnica con la que se reemplaza el humor vítreo del ojo).

## NEUROPATÍA

La diabetes también puede desencadenar lo que se conoce como neuropatía, es decir: daño de los nervios. En ocasiones, esta condición afecta al cuerpo de muchas maneras y puede llegar a ser dolorosa y debilitante.

Esta enfermedad se produce cuando los niveles de glucosa son muy altos, entonces las paredes que envuelven a los nervios se hinchan y se aprietan, de manera que éstos se lastiman e irritan. Esto hace que se produzca la pérdida de la sensibilidad en algunas partes del cuerpo o la deficiencia en la función de otros órganos.

Existen dos tipos de neuropatía, según las diferentes células neurales que se vean afectadas: la neuropatía periférica y la autónoma.

La primera afecta a los nervios que controlan las sensaciones del cuerpo. Es la responsable de la mayoría de las amputaciones en las personas que tienen diabetes.

La segunda afecta a los nervios que controlan los órganos del cuerpo, como el estómago y las vías urinarias.

Al encarar el tratamiento, lo primero que hay que hacer es controlar adecuadamente los niveles de glucosa.

Además, se recomiendan algunos medicamentos, como ser: analgésicos (aspirina o acetaminofen) que calman el dolor en neuropatías leves; antidepresivos (cuando el paciente presenta dolores asociados con un estado depresivo en donde predomina el insomnio y la anorexia con desnutrición), o estimulantes que ayudan a que la irritación de los nervios disminuya, o antiinflamatorios.

También se pueden utilizar pomadas, compresas de calor húmedo y se pueden hacer ejercicios de relajación. Algunas personas suelen utilizar pantimedias, de tal manera de evitar el roce con la ropa y disminuir el malestar.

Cuando existen atrofias musculares, se recomienda realizar fisioterapia en forma de masajes y distintos tipos de ejercicios que combaten la atrofia muscular.

En el caso de la neuropatía autónoma, se recomiendan dietas especiales o medicamentos que eviten el estreñimiento o disminuyan la cantidad de ácido gástrico. Cuando se presentan diarreas o vómitos frecuentes se recomiendan medicamentos antidiarreicos o antieméticos.

# NEFROPATÍA

En la diabetes, el daño a los riñones es una de las complicaciones más comunes y severas que existen, siempre y cuando no sea controlada a tiempo. Este tipo de padecimiento se llama nefropatía.

Este trastorno se desencadena cuando los vasos sanguíneos del riñón se endurecen.

A medida que la sangre fluye por los riñones, las pequeñas estructuras llamadas nefronas filtran los productos de desecho y otras sustancias para poder eliminarlas mediante la orina.

Cuando las concentraciones de glucosa permanecen elevadas por mucho tiempo, las nefronas se dañan y, así, pierden su capacidad de filtración. Por ende, los desechos de la sangre no se pueden eliminar y la vida del paciente peligra.

Existen síntomas específicos para determinar este padecimiento:

- Hinchazón en los tobillos, en las manos, en la cara y en otras partes del cuerpo.
- Pocas ganas de comer, sabor metálico en la boca.
- Irritación en la piel, causada por la acumulación de productos de desecho.
- Dificultad para pensar con claridad.
- Cansancio.
- Palidez.
- Presión alta.
- Piel muy seca y descamada.

A la vez, se debe tener en cuenta que el riesgo de la nefropatía aumenta cuando el paciente presenta:

- Presión arterial alta.
- Infecciones en las vías urinarias.
- Poco control de la glucosa.
- Colesterol alto.
- Presión alta en la historia familiar.

Para evitar que los riñones se dañen, es importante considerar lo siguiente:

- Controlar adecuadamente los niveles de la glucosa sanguínea.
- Controlar la presión arterial.
- Consumir menos sal.
- Consumir menos proteínas de origen animal.
- Tratar oportunamente las infecciones de vías urinarias.
- Acudir con regularidad al nefrólogo, dos veces al año como mínimo.

En cuanto al tratamiento, como primera medida se requiere de una buena dieta y de los medicamentos correspondientes, siempre y cuando el daño sea reversible. Ahora bien, si el daño es severo y no se puede revertir, hay tratamientos especiales y permanentes, como la diálisis.

La diálisis es el proceso mediante el cual la sangre se limpia de manera artificial. Este proceso se aplica cuando los riñones ya no pueden hacerlo por sí solos. Durante este proceso se filtran y se expulsan del cuerpo las sustancias de desecho.

Hay dos tipos de diálisis: peritoneal y hemodiálisis.

1 ▪ La diálisis peritoneal requiere de una intervención quirúrgica menor para poder introducir un catéter dentro de la cavidad abdominal.

El catéter se conecta a una línea de transferencia (tubo estéril de plástico), así como a una bolsa gemela que contiene una sustancia formada por agua, sodio, calcio, magnesio y glucosa. Esta sustancia entra en la cavidad abdominal en un lapso de veinte minutos, aproximadamente. Después de cuatro o seis horas, se retira el líquido de la cavidad abdominal y se vuelve a introducir una sustancia limpia.

Este tipo de diálisis la puede realizar el paciente en su casa.

2 ▪ La hemodiálisis, al igual que la diálisis peritoneal, requiere de la inserción de un catéter, el cual se coloca en una vena del cuello. Éste tiene dos ramas y se conecta a una máquina que funciona como si fuera un riñón artificial. Durante este procedimiento la sangre circula hacia la máquina, dentro de la cual se limpia, para después volver a introducirse en el cuerpo.

Este procedimiento debe realizarse en un hospital o en una clínica especializada, con una frecuencia de dos a tres veces por semana y puede prolongarse de cuatro a seis horas.

# Otras alteraciones

## ■ Pie diabético

La diabetes puede llegar a producir una reducción del flujo sanguíneo y de la sensibilidad nerviosa. Como consecuencia de ello, algunas personas tienen mayor riesgo de sufrir heridas o infecciones en los pies. Tomar las medidas preventivas adecuadas desde el comienzo es la mejor manera de evitar problemas posteriores, y lo más importante es mantener los niveles de glucemia dentro de los valores normales (70 a 110 mg/dl) la mayor cantidad de tiempo posible.

Si la diabetes no está bien controlada, los pies están más expuestos a sufrir una infección, por ello es que requieren cuidados especiales.

### CAUSAS POR LAS QUE SE PUEDEN PRODUCIR COMPLICACIONES

- **Menor circulación:** la diabetes puede llegar a causar un engrosamiento de las paredes de los vasos sanguíneos y, así, reducir la circulación en la parte baja de las piernas y el pie. Si el paciente se lastima, la herida tardará más en cicatrizar y existirá mayor riesgo de infección.
- **Daño en los nervios:** otra de las complicaciones de la diabetes es la neuropatía (daño a los nervios). Esto puede hacer que el paciente sienta el pie entumecido, sin sensibilidad al calor o al frío, incluso al dolor, entonces la persona puede hacerse una herida sin siquiera darse cuenta. Como consecuencia se puede producir una infección sin que el paciente esté al tanto.

- Menor resistencia a las infecciones: cuando los niveles de glucosa en la sangre están por encima de lo normal, los glóbulos blancos (encargados de luchar contra las infecciones) no pueden trabajar de manera efectiva, por lo tanto, las bacterias y otros organismos invaden más rápidamente, causando más daño e incrementando el riesgo de infección.

El descuido de los problemas en el pie de las personas que tienen una diabetes mal controlada se traduce en una primera causa de amputación en extremidades inferiores, en el nivel mundial.

La prevención y el tratamiento apropiado pueden disminuir en más de un 75% los casos de amputación.

## CÓMO MANTENER UN CUIDADO APROPIADO DEL PIE

Por lo general, las infecciones no se producen a no ser que exista una herida en la piel. Cuando esto sucede, los gérmenes se establecen en los tejidos, se multiplican y causan daño. Por todo ello, hay que tener en cuenta las siguientes recomendaciones:

- realizar una inspección de los pies todas las noches, con buena iluminación (para ver si hay callos, ampollas, heridas, cortes, contusiones, alteraciones o signos de infección). Si no se puede ver la planta de los pies, usar un espejo o pedirle ayuda a alguien;
- se debe informar inmediatamente al médico en caso de tener alguna alteración en los pies o en los dedos (en cuanto al color, la temperatura, o la forma) o si se perciben señales de infección (las infecciones están, generalmente, acompañadas de hinchazón. Es importante que se conozca bien la forma de los pies, para poder notar cualquier cambio. Si un pie está más grande que el otro, por ejemplo, esto puede indicar que existe una infección);
- no hay que caminar descalzo, ni siquiera dentro de la casa;

- tampoco se deben usar bolsas de agua caliente ni ningún otro tipo de tratamiento de calor en los pies;
- usar zapatos cómodos, con suficiente espacio para los dedos;
- utilizar progresivamente los zapatos nuevos, por cortos períodos de tiempo.
- usar medias preferiblemente de algodón o de lana con los zapatos (tratar de evitar el nylon, ya que no permite la pérdida de calor ni la libre ventilación del pie, causando que éste se humedezca. Además el calor permite la proliferación de bacterias y hongos);
- en caso de usar medias con costuras gruesas, deben ponerse con la costura hacia fuera, de tal manera que no rocen con la piel;
- si la piel está reseca, aplicar una loción en la parte de arriba y por la planta de los pies; nunca hay que aplicarla entre los dedos;
- por el contrario, si la piel está húmeda, aplicar talco medicado;
- durante el verano, si los pies estarán expuestos al sol, colocar loción protectora en la parte de arriba de ellos.

## RECOMENDACIONES PARA PROMOVER UNA BUENA CIRCULACIÓN DE LA SANGRE

- no usar ligas ni medias elásticas que interfieran con la circulación (a menos que sea ordenado por el médico);
- tratar de no cruzarse de piernas cuando se está sentado (a);
- mantener los pies calientes, el frío contrae los vasos sanguíneos;
- usar medias al dormir;
- bañarse con agua tibia (ni muy fría ni muy caliente);
- es recomendable ejercitarse todos los días, el ejercicio ayuda a promover la circulación;
- caminar, ya que se trata de un ejercicio seguro y beneficioso;
- no fumar: el cigarrillo contrae los vasos sanguíneos.

# UNA ADECUADA HIGIENE PERSONAL

- lavar todos los días los pies, secarlos suavemente, especialmente entre los dedos, de tal manera de prevenir el crecimiento de hongos;
- usar jabones suaves;
- antes de entrar en la ducha, chequear que la temperatura del agua sea de 29 a 32°C;
- no remojar los pies durante mucho tiempo: esto puede hacer que la piel se reseque y se agriete.

# CÓMO SE DEBEN CORTAR LAS UÑAS

- en línea recta, no muy cerca de la piel;
- no cortar en las esquinas;
- limarlas suavemente;
- cortarlas después de bañarse, ya que están blandas y son más fáciles de cortar;
- si no se ve bien o si las uñas son muy gruesas, se necesitará ayuda de otra persona que haya recibido las instrucciones necesarias para cortar las uñas en forma correcta y segura;

# CÓMO TRATAR LOS CALLOS Y CALLOSIDADES

- primero: consultar con un podólogo para que evalúe y trate estos problemas;
- no utilizar curas de tipo caseras ni herramientas cortantes para remover callos;
- restregar suavemente los callos y callosidades con una piedra pómez, después del baño; esto eliminará las capas adicionales de piel que se han agregado.

Consultar con el médico ante el primer síntoma de cualquier problema, como: inflamación entre los dedos, infección de hongos, enrojecimientos o heridas. La prevención, la pronta detección y el tratamiento apropiado son la clave para eliminar problemas serios.

# ■ Infecciones

No significa que sean más frecuentes en los diabéticos pero sí pueden ser más graves por su afectación del sistema inmunitario. Hay cuatro procesos infecciosos que suelen relacionarse específicamente con la diabetes: otitis externa maligna, mucormicosis rinocerebral, colecistitis enfisematosa y pielonefritis enfisematosa.

# ■ Glaucoma

Se produce debido al aumento de presión en el ojo. Todas las personas pueden presentarlo después de los 40 años, pero en los diabéticos se acentúa.

# ■ Cataratas

Se refiere a la opacidad del cristalino. Suele aparecer más en personas de edad avanzada. Sin embargo, en las personas con diabetes este problema tiene mayor probabilidad de desarrollo a una edad más temprana.

# CAPÍTULO 7

 **Diabetes y sexualidad**

# Diabetes y sexualidad femenina

Por lo general, se ha escrito poco acerca de los efectos que produce la diabetes en la sexualidad femenina, si bien existe mucha información sobre el tema.

En la sexualidad, una respuesta considerada "normal" tiene cuatro etapas:

1) deseo;
2) excitación;
3) orgasmo;
4) culminación.

1 ■ La primera etapa, el deseo, se refiere al interés en el sexo y al hecho de preguntarse con qué frecuencia se sienten ganas de tener relaciones sexuales, en lugar de preguntarse ¿con qué frecuencia, en realidad, se lleva a cabo el acto? Esta primera etapa lleva a las siguientes. Si se tienen relaciones sexuales cuando no se sienten deseos, se puede llegar a afectar las demás etapas.

2 ■ La excitación se da con las primeras sensaciones de placer sexual físico. La sangre fluye dentro de la "labia" (es decir, de los pliegues en los genitales externos) y en el clítoris (órgano pequeño y sensible situado debajo del hueso púbico), haciendo que estos se dilaten o se abulten. Así, la vagina se expande y se lubrica, y los pezones se erectan. El ritmo cardíaco, la presión sanguínea, la respiración y la tensión muscular se incrementan; algunas mujeres llegan a experimentar enrojecimiento en la piel.

3 ■ El nivel de excitación sigue hasta llegar a la tercera fase: el orgasmo, donde ciertas contracciones rítmicas del área genital y anal sueltan todo el placer.

**4** ▪ Después del orgasmo, todos los cambios físicos que se produjeron como consecuencia de la excitación sexual se revierten y vuelven a su estado habitual normal; y se tiene una sensación de satisfacción y relajamiento (cuarta etapa: culminación). Cuando no hay orgasmo, la culminación llega más lentamente.

# ▪ Problemas sexuales en la diabetes

Según diversos estudios acerca del efecto de la diabetes en la sexualidad femenina, se difunde que la mujer premenopáusica con diabetes tipo 1 no tiene mayor incremento de problemas sexuales, comparado con las mujeres que no son diabéticas. Sin embargo, no ocurre lo mismo en las mujeres con diabetes tipo 2, en las que fue encontrado que sufren un mayor incremento de problemas.

Estas mujeres tienen menos deseo, además tuvieron más dificultad de lubricación, de llegar al orgasmo, dolor durante las relaciones sexuales y menos satisfacción que las mujeres sin diabetes.

Quizás una explicación posible al hecho de que las diabética tipo 2 sufren dolores sea que son mayores que las diabéticas tipo 1 y esto puede llegar junto con la menopausia (que a su vez puede causar disminución en la elasticidad, poca lubricación vaginal, causando dolor). Estos efectos menopáusicos pueden ser resueltos mediante la terapia de reemplazo de estrógeno.

Otra explicación posible puede ser que, debido a que la diabetes tipo 2 aparece cuando la mujer tiene más edad, puede resultarle difícil controlar la enfermedad porque puede pensar que ella causará problemas en sus relaciones de pareja, es decir, la mujer llega a creer que va a tener que cambiar todo su estilo de vida, su relación amorosa, su forma de vivir, sus costumbres y eso le causa pesadumbre.

Algunos de los problemas más comunes en la mujer son:

# LUBRICACIÓN INSUFICIENTE

Es el problema sexual más frecuente relacionado con la diabetes; consiste en la disminución de lubricación vaginal. La lubricación, como ya se ha explicado, sucede durante la excitación, donde además se expande la vagina. Si hay cierta falta de expansión junto a una resequedad vaginal, se produce el dolor y la irritación durante las relaciones sexuales. Sin embargo, se debe tener en cuenta que existen muchos lubricantes vaginales que pueden ser utilizados para evitar estas molestias. Las recomendaciones son utilizar alguno a base de agua; evitar los productos a base de aceite, ya que no son absorbidos como los productos a base de agua y pueden contribuir al crecimiento de bacterias. Además, los gel lubricantes se pueden insertar en la vagina con un aplicador o bien con el dedo, antes del acto sexual. En el caso de resequedad severa, se puede insertar un supositorio vaginal antes de tener relaciones. Siempre se debe tener la precaución de consultar todo con el médico.

## INCAPACIDAD DE ALCANZAR EL ORGASMO

La diabetes no tendría por qué afectar la capacidad de la mujer para llegar al orgasmo. Incluso puede ocurrir que esta disfunción no tenga nada que ver con el hecho de tener esta enfermedad. Aproximadamente, un tercio de las mujeres (con o sin diabetes) no pueden alcanzar el orgasmo durante las relaciones sexuales. Sin embargo, un problema en la fase de excitación, como por ejemplo, lubricación insuficiente (a la cual sí se asocia con la diabetes) y que puede causar molestia y dolor, puede hacer que disminuya la respuesta orgásmica. Otra causa puede ser la disminución del deseo, también provocada por la enfermedad, debido a que los elevados niveles de glucosa en la sangre pueden provocar fatiga y, como consecuencia, pérdida del deseo.

# INFECCIONES VAGINALES

Las mujeres que tienen elevados niveles de glucosa en la sangre son más propensas a tener infecciones vaginales. Éstas pueden provocar incomodidad y, como consecuencia, se trata de evitar tener relaciones. Algunas mujeres tienen la sensación de que sus genitales no están del todo limpios. Además, las infecciones vaginales pueden producir un desagradable olor, que puede aumentar la sensación de suciedad haciendo que se eviten ciertos tipos de juegos sexuales. Por lo tanto, se recomienda tener en cuenta que los niveles de glucosa en la sangre, si están bien controlados, ayudan a evitar las infecciones vaginales.

# HIPOGLUCEMIA

A veces ocurre que muchas mujeres se preocupan porque piensan que pueden llegar a tener una baja de azúcar durante las relaciones sexuales. Peor aun, en algunos casos los síntomas de hipoglucemia pueden llegar a confundirse con los de la fase de excitación sexual. Aunque la actividad sexual reduzca los niveles de glucosa, no implica que esto cause sí o sí hipoglucemia. De todas maneras, sigue siendo importante monitorear la glucemia antes y después del sexo, anotar todos los datos importantes: la hora del día con respecto a la hora pico de acción de la insulina, el horario de las comidas y la duración de la actividad sexual. En caso de que se necesite tomar otros recaudos, como para evitar ponerse nerviosas, etc., debe hacerse, por ejemplo: comer algo antes de tener relaciones, para evitar la hipoglucemia. Además, hay que tener en cuenta que si los niveles de glucosa están bajos antes de tener relaciones, puede afectar la excitación.

# ADAPTAR LA DIABETES A LA VIDA SEXUAL

La forma como una persona —en este caso, las mujeres— con diabetes se adapte a su enfermedad y la incorpore a su vida afectará a su sexualidad.

Por ejemplo, la diabetes puede provocar estrés, ya que el enfermo tiene que enfrentarse día a día contra un montón de factores no muy agradables; esto conduce a que se manifieste con sentimientos de rabia, depresión, ansiedad y todo también afecta a la manera cómo esa persona se relaciona con su pareja y con quienes la rodean.

También la diabetes puede provocar un impacto en la autoestima e imagen corporal; puede ocurrir que una mujer con diabetes busque tener una relación que no sea tan compenetrada como ella quisiera, porque tiene miedo de que nadie vaya a querer una pareja con diabetes.

La mujer con diabetes —al igual que el hombre— puede tener una vida sexual placentera, aunque se requiera mucho trabajo para lograr eso. Lo primordial es la comunicación: la mujer debe expresarle a su pareja sus necesidades, sus sentimientos, sus sensaciones, dialogar constantemente con el otro.

Aprender a adaptar la diabetes a la vida en pareja puede beneficiar en gran medida el aspecto sexual.

# Diabetes y sexualidad masculina

Los hombres también tienen sus problemas, físicos y psicológicos, producidos por la diabetes.

Las disfunciones sexuales masculinas pueden ser causadas por trastornos en la erección, en la eyaculación, en el orgasmo, en la sensibilidad y en el deseo sexual.

Si la diabetes no se controla de manera adecuada, se pueden dañar los vasos sanguíneos, las arterias y las venas, y aumenta el riesgo de que aparezca alguna disfunción sexual masculina por causa de factores físicos.

## ■ Problemas sexuales en la diabetes

La diabetes también puede provocar angustia, inseguridad, miedo al fracaso, aumentando estos problemas debido a factores psicológicos. Pero, al igual que lo que ocurre en las mujeres, no todas las disfunciones sexuales en el hombre se deben a la diabetes; existen muchas otras causas que pueden provocarlas.

La disfunción sexual más frecuente en los hombres diabéticos es la llamada disfunción eréctil o la conocida como "impotencia".

## LA DISFUNCIÓN ERÉCTIL O IMPOTENCIA

Se trata de la inhabilidad persistente y repetitiva de lograr una erección que le permita al hombre mantener relaciones sexuales satisfactorias.

Este tipo de disfunción suele ser muy frecuente y llega a afectar a aproximadamente la mitad de los hombres (con o sin diabetes), que están entre los 40 y los 70 años.

Desafortunadamente, en la mayoría de los casos, los afectados, debido a mitos creados alrededor del tema, no hablan abiertamente con sus respectivas parejas ni consultan sobre el tema con sus médicos; por lo tanto, no pueden beneficiarse con los múltiples tratamientos que existen y no llegan a solucionar este problema.

## → *Causas de la disfunción eréctil o impotencia*

Casi siempre, la disfunción eréctil está asociada con alteraciones físicas y no psicológicas. La impotencia se puede deber a alteraciones en uno o más de los mecanismos responsables de la erección; estos daños pueden incluir:

- daños a los nervios del pene;
- incapacidad de los vasos sanguíneos dentro del pene para almacenar la sangre;
- bloqueo de las arterias.

Entre las causas que pueden producir estos daños se encuentran ciertas enfermedades: la diabetes, enfermedades en los riñones, esclerosis múltiple, alcoholismo crónico, enfermedades vasculares y cirugía de la próstata.

También, la impotencia puede ser causada por los efectos colaterales que se producen por el uso de algunas medicinas, como por ejemplo, antihipertensivos, antidepresivos, tranquilizantes, antihistamínicos, pastillas para reducir de peso, etc. Además del hecho de fumar y de tener ciertos hábitos inadecuados.

Los factores psicológicos sólo causan entre un 10 y un 20% de los casos de impotencia; éstos pueden ser: el estrés, la ansiedad, los sentimientos de culpa, la depresión, la baja autoestima y el temor a fallar sexualmente. En los hombres diabéticos estos temores se incrementan, por el miedo a sufrir hipoglucemia.

Si el hombre tiene diabetes es necesario –al igual que en la mujer– que cumpla con su tratamiento al pie de la letra, para mantener los niveles de azúcar en la sangre más cerca de lo normal como sea posible, durante la mayor cantidad de tiempo.

### → *¿Qué hacer en caso de disfunción eréctil?*

Antes que nada, hablar con la pareja y consultar con un médico, el cual podrá remitirlo a un especialista (urólogo, psicólogo o endocrinólogo) y éste determinará el tratamiento adecuado para resolver el problema. Hoy en día existen muchas opciones de tratamientos que dependerán de la causa de la impotencia y del daño ocasionado hasta el momento. Las alternativas terapéuticas consisten en una o más de las siguientes opciones:

- Psicoterapia o terapia conductual.
- Tratamiento hormonal (testosterona).
- Medicamentos orales para producir erección.
- Terapia sobre la base de inyecciones.
- Cirugía para reconstruir las arterias dañadas.
- Implantes en el pene, etc.

## OTRAS DISFUNCIONES SEXUALES

Los hombres (con o sin diabetes) pueden presentar otras disfunciones sexuales:

- eyaculación precoz;
- eyaculación retardada;

- ausencia de placer durante el orgasmo (anorgasmia);
- deseo sexual inhibido (anafrodisia);
- coito doloroso (dispareunia).

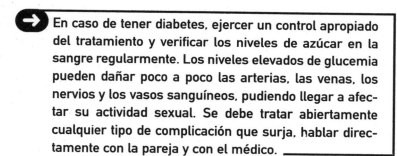

En caso de tener diabetes, ejercer un control apropiado del tratamiento y verificar los niveles de azúcar en la sangre regularmente. Los niveles elevados de glucemia pueden dañar poco a poco las arterias, las venas, los nervios y los vasos sanguíneos, pudiendo llegar a afectar su actividad sexual. Se debe tratar abiertamente cualquier tipo de complicación que surja, hablar directamente con la pareja y con el médico. _____

# CAPÍTULO 8

**Alimentación y dietas recomendadas**

# La importancia de una adecuada alimentación

En realidad, el aporte calórico no tiene por qué ser diferente al de la población en general, siempre y cuando permita que el paciente esté en su peso ideal. Se aconsejará una dieta hipocalórica cuando el diabético esté obeso, una hipercalórica si está desnutrido, y una normocalórica si el paciente está en su peso correcto.

Hay que tener en cuenta que la distribución de los principios inmediatos debe ser similar a la de las personas que no tienen diabetes. Esto quiere decir: 55% de hidratos de carbono (deberían ser, en su mayoría, polisacáridos de absorción lenta: pastas, verduras, legumbres, féculas), 30% de grasas (tratando de ingerir colesterol inferior a 300 mg/día) y 15% de proteínas (se recomienda una cantidad de 1 a 1,5 g/kg/día. En pacientes con nefropatía diabética se aconseja su reducción).

Con una buena dieta para diabéticos, lo que se pretende es:

- mejorar el estado metabólico; evitar la obesidad en las personas que tienen predisposición genética a la enfermedad; corregir el sobrepeso en los casos de diabetes ya establecida;
- tratar de mantener un estado normal de nutrición (logrando un peso, en la medida de lo posible, ideal);
- lograr un descenso en las cifras glucémicas;
- lograr una mejoría general, por ejemplo, aumentando el rendimiento laboral, sintiendo que se está llevando una vida sin esta enfermedad.

Un profesional en nutrición será el encargado de calcular las necesidades nutricionales de los diabéticos, realizando una evaluación completa que incluye: el peso corporal, la edad, la estatura, exámenes de laboratorio y hábitos alimenticios de cada persona en particular. A partir de estos estudios, se toman en cuenta las calorías, las proteínas, las grasas y los carbohidratos que son necesarios en cada paciente. Así, se pueden establecer tres grupos especiales:

1 ■ el niño, hasta la pubertad: debe alimentarse para satisfacer sus exigencias calóricas (necesitará hierro, fósforo, calcio, aminoácidos, entre otros);
2 ■ adultos: en sus períodos de plenitud deben alimentarse sólo para reponer el desgaste propio de la vida;
3 ■ embarazadas: deben alimentarse también en función de las exigencias del hijo que están gestando.

# ■ Pautas de alimentación

La alimentación del paciente diabético debe reunir las siguientes características:

- ■ Completa, es decir, incluir todos los nutrientes necesarios según cada persona.
- ■ Variada, aprovechando los alimentos de cada temporada, combinando los alimentos en forma original.
- ■ Suficiente, de tal manera que proporcione la energía que se requiere para cubrir las necesidades de cada uno.
- ■ Equilibrada, teniendo en cuenta la proporción de los nutrientes para lograr un óptimo aprovechamiento por parte del organismo.
- ■ Adecuada, según cada paciente y tomando en cuenta su edad, sus costumbres, su estado fisiológico, sus posibilidades económicas, etc.
- ■ Inocua, es decir, que no implique riesgos para la salud.

# ■ Nociones básicas sobre sustancias energéticas

## CALORÍAS

Tiene que ver con la cantidad necesaria de energía que requiere el organismo para poder realizar sus funciones básicas: respiración, recambio de células, etc., sumada a la energía que se necesita para el crecimiento (en el caso de los niños y los adolescentes), más la que se necesita para realizar ejercicio físico. La cantidad de calorías variará según la edad, el peso y la estructura.

Las calorías o energía que aportan los nutrientes son:
- Proteínas: 4 calorías por gramo.
- Grasas: 9 calorías por gramo.
- Carbohidratos: 4 calorías por gramo.

## PROTEÍNAS

Son sustancias que están formadas por aminoácidos. El organismo las utiliza para la formación de células. Se encuentran, principalmente, en los alimentos de origen animal: pollo, pescado, carnes, huevo, leche, quesos. También están presentes en algunos alimentos vegetales, como los granos (lentejas, etc.).

Las proteínas no se deben consumir en exceso y se las calcula de forma individual, teniendo en cuenta que aunque no eleven los niveles de azúcar en sangre, sí aportan grasas saturadas. Además, si hay exceso en la ingesta de alimentos de origen animal, se puede sobrecargar el trabajo de los riñones.

Para los adultos se suele aconsejar de 0,5 a 1 g por kg de peso; en los niños, de 1,5 a 2 g por kg.

# GRASAS O LÍPIDOS

No se deben eliminar en forma completa de la dieta; simplemente hay que saber qué tipo de grasa es buena y consumirla en cantidad moderada, ya que son sustancias que aportan mucha energía y calorías.

Por un lado, existen las grasas saturadas. Están presentes en los alimentos de origen animal: manteca, tocino, carnes, cerdo, pollo, queso, etc. Cuando se calienta aceite, también se convierte en grasa saturada. Suelen tener efectos nocivos, que dañan la salud: elevan los niveles de colesterol en la sangre y hasta pueden provocar obstrucción de las arterias.

Por otro lado, están las grasas insaturadas o poliinsaturadas. Se encuentran en los aceites, como el de maíz, girasol, etc. Conviene consumirlas en crudo y en cantidades moderadas, por ejemplo, en las ensaladas (para condimentarlas).

Además, existen las grasas monoinsaturadas, presentes en la aceituna, en el aceite de oliva, en las almendras, avellanas, maní, etc. No tienen efectos dañinos sobre el nivel de colesterol en la sangre, y también pueden ser consumidas en cantidades moderadas.

Los principales tipos de grasas que se miden en la sangre, generalmente, son:

➜ *Triglicéridos:* Tipo de grasa que se suele encontrar en la sangre; fuente de energía que las células utilizan y derivan de la absorción de las grasas de los alimentos. Los triglicéridos serían la manera que el organismo tiene de almacenar energía. Si se consumen muchas calorías, se aumentan los niveles de triglicéridos, por eso, para que esto no se produzca, el consumo de grasas, azúcares y alcohol debe ser el mínimo indispensable.

➜ *Colesterol:* Tipo de grasa presente en casi todos los órganos del cuerpo. Participa en la producción de hormonas, vitamina D, membranas celulares y sustancias necesarias para la absorción de grasas. Se hace necesario mantener un peso corporal adecuado para evitar que aumenten los niveles de colesterol y así evitar enfermedades cardiovasculares. Además, es recomendable hacer ejercicios y comer menos alimentos ricos en colesterol y grasas (como ser: carne de cerdo, huevos, frituras, manteca, etc.).

➜ *Fosfolípidos:* Tipo de grasa que se encuentra formando parte de las membranas celulares. Sus niveles varían muy poco con la dieta.

➜ *Lipoproteínas:* Combinación de lípidos con proteínas. Forma en la cual los lípidos son transportados en la sangre. Según el tipo y la cantidad de grasas existen varios tipos de lipoproteínas, a saber:

VLDL o lipoproteínas de muy baja densidad: Se encargan de transportar triglicéridos desde el intestino y el hígado hacia los músculos y el tejido adiposo (grasas almacenadas), para ser utilizados como energía o bien ser acumulados, todo dependerá de las necesidades del organismo. Estas lipoproteínas contienen más triglicéridos y menos colesterol.

LDL o lipoproteínas de baja densidad: Son las que transportan colesterol desde el hígado hacia los otros tejidos y órganos del cuerpo. Contienen más colesterol y menos proteínas y triglicéridos. Debido a que entregan colesterol a los tejidos, se conocen como "colesterol malo".

HDL o lipoproteínas de alta densidad: Transportan el colesterol desde los diferentes tejidos hacia el hígado, para ser metabolizado y excretado en forma de sales biliares principalmente. Debido a que extraen el colesterol de los tejidos se conocen como "colesterol bueno".

## VALORES NORMALES DE MEDICIÓN

| | | |
|---|---|---|
| Colesterol | menor a | 200 mg/dl |
| Triglicéridos | menor a | 160 mg/dl |
| HDL | mayor a | 45 mg/dl |
| LDL | menor a | 130 mg/dl |

Entre los factores que afectan los niveles sanguíneos de colesterol podemos mencionar:

- el peso: el sobrepeso contribuye a aumentar los niveles de colesterol;
- la edad y el sexo: según las investigaciones, a medida que aumenta la edad aumentan los niveles de colesterol y, a su vez, éstos son mayores en los hombres;
- la actividad física: con un cronograma de ejercicios regular se ayuda a disminuir los niveles de colesterol y la presión arterial, y aumentan las HDL (colesterol bueno);
- las bebidas alcohólicas: si se bebe alcohol en exceso, se contribuye a aumentar los niveles de colesterol y los triglicéridos;
- el tipo de alimentación: si se consumen grasas en exceso o alimentos ricos en colesterol, se aumentan los niveles sanguíneos de colesterol.

→ ¿CÓMO DISMINUIR LOS NIVELES DE COLESTEROL?

1 ▪ Consumir menos alimentos ricos en grasas.
2 ▪ Consumir menos alimentos ricos en colesterol.
3 ▪ Aumentar el consumo de fibra.
4 ▪ Mantener un peso adecuado.
5 ▪ Realizar actividad física en forma regular.

# CARBOHIDRATOS

Existen dos grupos de carbohidratos: sencillos y complejos.
Varios años atrás se creía que los diabéticos debían evitar la ingesta de pan, pasta, papa, etc. Hoy en día sucede todo lo contrario, se recomienda el consumo de estos alimentos, en cantidades apropiadas, según cada dieta particular.

- Los carbohidratos sencillos se absorben más rápidamente en el torrente sanguíneo: el azúcar blanca o morena, la miel, etc. Se debe tratar de evitar su consumo, a no ser que sean permitidos en cierta cantidad por el profesional en nutrición que se encargue de asesorar al paciente. Las frutas también contienen carbohidratos sencillos, pero por contener fibra su consumo es permitido diariamente.

- Los carbohidratos complejos están presentes en el maíz, el trigo, la avena y los derivados (pan, galletas, pasta); también se encuentran en los tubérculos (papa, apio, etc.), y en la banana. Se absorben más lentamente en la sangre y siempre se recomienda consumirlos en forma integral por su alto contenido de fibra.

El aporte total en gramos de los hidratos de carbono no debe ser nunca inferior a 150.

# Dietas para una vida sana

Los grupos de alimentos que debe incluir la alimentación de cualquier persona son los siguientes:

1. ■ Cereales y tubérculos: tortillas, pan, papas, arroz, pastas, palomitas de maíz, etc.

2. ■ Leguminosas: arveja, frijoles, garbanzo, soja y lentejas.

3. ■ Verduras: en este grupo hay una subdivisión. Por un lado, están las que se consumen libremente (debido a su bajo aporte calórico), como los berros, las espinacas, acelgas, apio, champiñones, tomate verde, calabaza, lechuga, pepino, pimiento y rábanos. Por el otro, están las que deben tomarse con medida, como el betabel y la zanahoria.

4. ■ Frutas: banana, granada, pera, fresa, naranja, cereza, ciruela, kiwi, mandarina, mango, manzana, melón, papaya, uva, pasas y frutas secas.

5. ■ Productos de procedencia animal: carne de pollo o de pavo, ternera, cerdo, embutidos, quesos, huevo, pescados, mariscos y crustáceos.

6. ■ Leche: entera, descremada o en polvo; helado de yogur y yogur natural.

7. ■ Grasas: aceites de soja, oliva, maíz, girasol; aderezos, almendras, avellanas, maní, crema, margarina, mayonesa, queso crema, etc.

8 ▪ Azúcares: azúcar, chocolate, jalea, jarabes, miel, polvo para preparar jugos, refrescos, etc.

Con este último grupo hay que manejarse con mucho cuidado, ya que no es recomendable su consumo en personas que no tienen buen control; se absorben con rapidez y afectan de inmediato los niveles de glucosa en sangre.

# FRACCIONAMIENTO DEL RÉGIMEN

Lo principal es el fraccionamiento y el horario de las comidas. Esto dependerá de diversos factores:

a) los que dependen del individuo: el tipo de trabajo, el horario que cumple;

b) los que dependen de la enfermedad.

▪ Gravedad de la diabetes: en el caso de los diabéticos que no utilicen insulina, el horario de las comidas será el habitual (desayuno, almuerzo, merienda y cena); en aquellos casos en los que el enfermo sí utiliza la insulina se agregarán colaciones, de tal manera de evitar hipoglucemias.

▪ Momento evolutivo de la enfermedad: en el caso de la acidosis, el régimen se divide en cuatro comidas iguales, en períodos iguales; en el caso de una diabetes compensada, el horario de las comidas y su fraccionamiento dependerá del resto de los factores.

▪ Factores dependientes del tratamiento: aquí importa el tipo de insulina que se esté administrando, la cantidad y los horarios, para evitar las hipoglucemias.

# CONSEJOS PARA UNA ALIMENTACIÓN SANA

A ▪ Entre el 10 y el 20% de las calorías se pueden suministrar con las proteínas, tratando de no excederse de 0,8 g/kg/día. Asimismo, éstas deben ser de origen animal y también vegetal.

B ▪ Menos del 10% de las calorías deberían proceder de las grasas saturadas. Como ya se ha indicado, el consumo de colesterol debe limitarse a 300 mg/día, o incluso menos. Las grasas poliinsaturadas deben suponer un 10% de las calorías totales de la dieta.

C ▪ El resto, entre un 60 y un 70% de las calorías, se aportará con los carbohidratos y grasas monoinsaturadas.

A veces puede ocurrir que el diabético rompa con su dieta o con su actividad física. Si alguno de los tres pilares mencionados (dieta, ejercicio, medicación) se altera, también se deberá modificar el resto de los componentes, con el fin de que se pueda compensar el desequilibrio. Entonces, según la intensidad y duración del ejercicio físico se determinará cierto plan alimenticio. Mientras que la ingesta de una comida demasiado rápida se compensará ajustando adecuadamente tanto la dosis de fármacos como la actividad física.

D ▪ Al cocinar, disminuir o eliminar las grasas de origen animal y comer legumbres a menudo.

E ▪ Si se comen legumbres se puede suprimir la carne. Se recomienda comer verduras y hortalizas (crudas o guisadas) al menos dos veces por día.

F ▪ Las carnes, los pescados y los huevos (ricos en proteínas, contienen grasas pero no hidratos de carbono) deben consumirse con moderación, tratando de que el pescado sea más frecuente que la carne.

G ▪ En el caso de los adultos, no abusar de las bebidas con alcohol (especialmente del vino y de la cerveza); como máximo, se permiten dos vasos por día.

H ▪ Comer poco y con frecuencia, varias veces al día.

I ▪ Evitar los azúcares de absorción rápida, porque es sabido que elevan de forma brusca los niveles de glucosa en la sangre y eso es lo que se trata de evitar.

## LA PIRÁMIDE DE LA ALIMENTACIÓN

Con una alimentación equilibrada la persona se mantiene en un estado óptimo de salud y realiza sus actividades cotidianas con absoluta normalidad. Las necesidades calóricas varían de una persona a otra, según los distintos aspectos, como la edad o la actividad física.

Las recomendaciones de los especialistas sobre el modo cómo deben incluirse los alimentos en una dieta equilibrada se pueden representar como una pirámide de la alimentación, en la que se explican las cantidades diarias de cada grupo de alimentos que deberían ingerirse.

▪ Grupo de las grasas y los dulces (en forma limitada).
▪ Grupo de la leche, el yogur y los quesos (de 2 a 3 raciones por día).
▪ Grupo de la carne, el pescado, los huevos, los frutos secos y las aves (de 2 a 3 raciones por día).
▪ Grupo de las verduras (de 2 a 4 raciones por día).
▪ Grupo de las frutas (de 2 a 3 raciones por día).
▪ Grupo del pan, los cereales, el arroz y las pastas (de 4 a 6 raciones por día).

Según esta pirámide, los alimentos que se encuentran en el vértice superior (embutidos, grasas) se deben consumir de manera limitada. La parte central corresponde a los grupos de las carnes magras, los pescados y la leche y los productos lácteos, cuyo consumo deberá ser moderado. La base de la pirámide incluye los alimentos que deben consumirse con mayor frecuencia diaria: legumbres, verduras, hortalizas, frutas, pan, pasta, arroz y papas.

**→ LA ALIMENTACIÓN DEL NIÑO DIABÉTICO**

La dieta de los niños diabéticos tiene que ser equilibrada y aportar la ración calórica necesaria, para poder reducir las hiperglucemias y contribuir al mantenimiento de un peso estable.

Siempre deben tratar de ingerir glúcidos de absorción lenta, ricos en fibra (como ser: pan, cereales, papas y legumbres).

Se prefieren las grasas vegetales a las animales, ya que evitan las enfermedades en las arterias.

Las proteínas deben provenir de los huevos, la carne, el pescado, los productos lácteos y los cereales.

# ■ ¿Cuántas calorías por comida?

En las distintas dietas, las calorías se podrían repartir de la siguiente forma:

- Desayuno: entre un 15 - 20% del total de calorías diarias
- Media mañana: entre 10 - 15%
- Comida: 30%
- Merienda: entre 10 - 15%

- **Cena:** entre un 25 - 30%
- **Antes de dormir:** 5%

Hasta aquí se puede deducir que una persona diabética obtiene más beneficios con una dieta completa y balanceada que eliminando alimentos de su vida. El secreto reside en qué es lo que necesita cada paciente en particular y por eso es necesario asesorarse con un profesional.

Un ejemplo de menú podría ser el siguiente:

*Para el desayuno*................
- Pan de harina de maíz
- Queso blanco (bajo en sal)
- Margarina
- Leche descremada

*Para el almuerzo*................
- Sopa de espinaca
- Pollo con cebolla y pimentón
- Arroz
- Ensalada de lechuga y tomate
- Aceite de oliva
- Ensalada de frutas

*Para la merienda*................
- Gelatina con fruta

*Para la cena*................
- Pan
- Pescado
- Ensalada
- Fruta a elección

En este ejemplo no aparecen las cantidades, eso depende de cada persona y de lo que le indique su nutricionista.

# ■ Dietas para toda ocasión

ENSALADA PRIMAVERAL      *Cantidad estimada para cuatro porciones*

**■ Ingredientes:**

1 lata de palmitos
1 naranja
6 frutillas
2 rodajas de ananá
1 planta de lechuga
1 yogur dietético, puede ser de frutilla
1 ramita de hierbabuena

**■ Preparación:**

*Primero, cortar la lechuga en tiritas y ponerlas en el plato, como si formaran una base tipo alfombra; aparte, cortar los palmitos en mitades y hacer lo mismo con las frutillas; cortar la naranja en gajos (previamente, retirarle la cáscara) y las rodajas de ananá en cuatro. Colocar todos estos ingredientes, intercaladamente sobre la lechuga. Aparte, cortar la ramita de hierbabuena y mezclarla con el yogur, para luego esparcir esta salsa sobre la ensalada.*

**■ Información nutricional:**

Calorías por porción: 15
Carbohidratos: 2.2 g
Grasas: 0
Proteínas: 1.5 g

# PAPAS RELLENAS  *Cantidad estimada para cuatro porciones*

- **Ingredientes:**

    4 papas cocidas
    2 tazas de espinaca cocida
    1 clara de huevo
    1 cebolla picada finamente
    2 cucharaditas de queso mozzarella light
    pimienta y sal (en poca cantidad)

- **Preparación:**

    *Primero, vaciar el relleno de las papas con un cuchara y reservar el contenido de dos de ellas. Luego, agregarle un poco de sal a cada papa. Licuar las espinacas con la clara, la cebolla y la reserva de las dos papas. Rellenar cada papa con esta mezcla. Rallar el queso para espolvorear las papas y luego introducirlas en el horno a 180°C, hasta que se gratinen. Finalmente, están listas para servir, bien calientes.*

- **Información nutricional:**

    Calorías por porción: 95
    Carbohidratos: 17 g
    Grasas: 1.25 g
    Proteínas: 4.27 g

# MANZANAS AL INSTANTE  *Cantidad estimada para cuatro porciones*

- **Ingredientes:**

    4 manzanas peladas, con sus cabitos
    1 caja de gelatina de frambuesa
    4 tazas de agua
    ramitas de hierbabuena

■ **Preparación:**

Primero, hervir el agua, agregarle la gelatina y batir la mezcla constantemente. Luego, introducir las manzanas y colocarlas en conserva sobre un fuego suave. Finalmente decorar las manzanas con las ramitas de hierbabuena. Se pueden colocar en un plato con unos chorritos de crema de leche.

■ **Información nutricional:** Calorías por porción: 26

Carbohidratos: 5 g

Grasas: 0.4 g

Proteínas: 1.5 g

## TORTA DE MANZANA
*Cantidad estimada para cuatro porciones*

■ **Ingredientes:**

Para la torta
1 taza de harina común
1/2 cucharadita de nuez moscada molida
1/2 cucharadita de canela molida
1/4 de cucharadita de sal
3/4 de taza de azúcar granulada
3 cucharadas de margarina ablandada
1 huevo
2 cucharadas de leche de bajo contenido graso (1%)
2 manzanas grandes para hornear, sin el centro del fruto, peladas y rebanadas

Para la cobertura
1 cucharadita de azúcar granulada
1/2 cucharadita de canela molida

- **Preparación:**

Primero, precalentar el horno y rociar con aceite un recipiente para hornear. Luego, mezclar con batidor la harina, la nuez moscada, la canela y ponerle un poco de sal. Con la batidora eléctrica, unir el azúcar y la margarina, hasta lograr que la mezcla esté espumosa. Agregar el huevo y la leche hasta lograr una mezcla homogénea. Agregar la mezcla de harina a la de margarina, en tres partes y batir nuevamente hasta que la preparación quede uniforme. Con la ayuda de una cuchara grande, ir agregando las manzanas. Verter la mezcla en el recipiente para hornear. En otro recipiente más chico, combinar el azúcar con la canela y espolvorear sobre la mezcla de la torta en forma pareja. Cocinar en el horno hasta que quede dorada (alrededor de 45 minutos de cocción).

## ARROZ CON POLLO

- **Ingredientes:**

3 cucharadas de aceite de oliva

1 cucharadita de páprika

2 cucharadas de sofrito

1/4 de taza de salsa de tomate

2 tazas de arroz, de grano grande

1 kg de pechugas de pollo cortadas en trozos

3 y 1/2 tazas de agua

1/2 cucharadita de sal

- **Preparación:**

Primero, calentar el aceite y freír la páprika y el sofrito. Agregarle la salsa de tomate y cocinar todo hasta que la mezcla hierva. Luego, agregar el pollo y dejarlo ahí hasta que se ponga blanco. Incorporar el arroz y mezclar bien con los demás ingredientes. Disolver la sal en el agua y agregarla a la olla con el arroz. Cocinar todo a fuego medio, hasta que se evapore el agua y hasta que el arroz esté blando, listo para servir.

# APIO BRASEADO

- **Ingredientes por porción:** 1/2 cabeza de apio
  1 anillo de pimiento rojo
  1 anillo de pimiento verde
  1/4 de cebolla bien picada
  sal, condimentos, caldo de ave desgrasado,
  perejil

- **Preparación:**
  *Primero, limpiar bien el apio y colocarle los anillos de pimientos (deslizándolos a través de él). Luego, colocar la cebolla en una olla de teflón y sobre ella poner el apio y el caldo de ave. Condimentar y cocinar a fuego lento hasta lograr que el apio esté bien tierno. Servirlo y espolvorear con perejil.*

- **Información nutricional:** Calorías: 46
  Proteínas: 1,4 g

# MEZCLA DE CHAMPIÑONES

- **Ingredientes por porción:** 1/2 bandejita de champiñones
  1 cucharadita de aceite vegetal
  1/2 tomate grande
  1 diente de ajo
  tomillo, sal, pimienta, perejil

- **Preparación:**
  *En una sartén de teflón, sin aceite, saltear los champiñones cortados en cuatro, durante un minuto. Agregarle el tomate picado, sin piel y sin semillas; luego colocar el ajo, tomillo, sal y pimienta. Cocinar hasta que el tomate forme una salsa espesa, y servir decorado con el perejil picado y la cucharadita de aceite.*

- Información nutricional:  Calorías: 99
  Proteínas: 6,0 g
  Lípidos: 5,6 g
  Colesterol: -

## GRANIZADO DE FRUTILLAS

- Ingredientes por porción:  6 frutillas
  2 cubos grandes de hielo
  edulcorante a gusto
  2 cucharadas de yogur dietético de frutilla

- Preparación:
  *Lavar y cortar las frutillas. En una batidora, mezclar las frutillas, el edulcorante y el yogur. Servir en un vaso o copa, decorar con frutillas.*

- Información nutricional:  Calorías: 64
  Proteínas: 1,9 g
  Lípidos: 0,8 g
  Colesterol: -

## MERENGUE DE FRUTAS

- Ingredientes por porción:  1 cucharada de melón picado
  1 cucharada de mango picado
  1 higo
  1 clara de huevo
  edulcorante

■ **Preparación:**

*Batir la clara a nieve y endulzar con edulcorante. Hacer un puré con las frutas en una procesadora de alimentos y mezclar con el merengue. Servir frío.*

■ **Información nutricional:** Calorías: 47

Proteínas: 3.8 g

Lípidos: 0.2 g

# CAPÍTULO 9

 **Ejercicios físicos:
un entrenamiento para la
adecuada calidad de vida**

# Diabetes y actividad física

Actualmente el ejercicio físico es considerado fundamental en el tratamiento de la diabetes; reduce las necesidades de insulina, ayuda a mantener el normopeso (en caso de pacientes obesos, ayuda a que bajen de peso junto con una dieta hipocalórica), reduce el riesgo de enfermedades cardiovasculares y mejora la sensación de bienestar. Lo aconsejable es realizar un ejercicio moderado y regular, llevando a cabo un entrenamiento progresivo.

Por otro lado, hay ciertas desventajas cuando no se toman los recaudos correspondientes, como ser:

- se pueden agravar las lesiones vasculares o neuríticas, principalmente cuando se comienzan a realizar ejercicios de manera brusca, sin haber hecho, previamente, entrenamientos;
- se pueden desencadenar hipoglucemias severas si no se tiene en cuenta la hora de aplicación de la insulina y no se realiza una colación previa.

## ¿POR QUÉ ES ACONSEJABLE LA ACTIVIDAD FÍSICA?

A largo plazo, se puede lograr un mejor control metabólico llevando a cabo un programa de ejercicio en forma regular. En personas que tienen la diabetes tipo 1, el ejercicio físico puede llegar a provocar que aumente la sensibilidad a la insulina, lo cual no indica que se esté llevando un óptimo control de la diabetes de forma automática.

Los pacientes deben entrenar de manera periódica, preferentemente todos los días, tomando en cuenta ciertos aspectos:

- el momento del día en que realizan la actividad;
- la duración e intensidad del ejercicio;

- el nivel de glucemia antes del ejercicio;
- el tipo y la dosis de insulina que utilizan.

## → DIABETES TIPO 1 Y TIPO 2

En estos tipos de diabetes está comprobado que el aumento de la actividad física previene sus desarrollos y hasta evita que aparezcan.

Una dieta adecuada, combinada con la práctica de ejercicio de forma regular, es el método más efectivo para mejorar el control glucémico en la diabetes tipo 2.

Los objetivos de un programa de ejercicios físicos cuando se encara la prevención o el tratamiento de la diabetes son:

- ayudar a controlar la glucemia;
- mantener un peso adecuado;
- mejorar la calidad de vida;
- evitar el desarrollo de complicaciones.

Antes de realizar los ejercicios, hay ciertas normas que se deben tener en cuenta:

1 ■ Hacerse un plan de ejercicios, realizarlos regularmente, a la misma hora cada día, y preferentemente por la mañana.

2 ■ Adaptar el plan al horario de las comidas y a la acción de la insulina.

3 ■ Al aplicar la insulina, hacerlo en aquellos músculos que no se vayan a utilizar durante los ejercicios físicos.

4 ■ Reducir la dosis de insulina o bien administrar cierta cantidad extra de hidratos de carbono antes o durante los ejercicios.

5 ■ No realizar ejercicios con temperaturas ambientales extremas,

mucho frío o mucho calor, ni tampoco durante los períodos de descontrol metabólico.

## ¿QUÉ EJERCICIOS REALIZAR?

En los diabéticos lo que más se aconseja es realizar ejercicios aeróbicos o de resistencia (por ejemplo: correr, andar en bicicleta, nadar). Estos tipos de actividades aumentan la utilización de glucosa por parte del músculo y mejoran la sensibilidad a la insulina (esto se suma a la adaptación beneficiosa del sistema cardiorrespiratorio).

En pacientes que no dependen de la insulina existe una menor sensibilidad a ella y con frecuencia son pacientes obesos. Por lo tanto, se aconseja practicar ejercicios aeróbicos, los que además de mejorar la sensibilidad a la insulina ayudan a reducir el peso.

Otras medidas a tener en cuenta a la hora de elegir los ejercicios aeróbicos, son:

- deben resultar placenteros;
- permitirle al paciente mantener su estilo de vida;
- movilizar todos los grupos musculares.

## ¿QUÉ IMPLICA UN PROGRAMA DE ENTRENAMIENTO?

Un programa de entrenamiento implica:

- Individualizar y elegir el tipo de ejercicio aeróbico más conveniente para cada persona.
- Sobrecarga progresiva: la intensidad y la duración de cada ejercicio deben ir aumentando semana tras semana.
- Frecuencia del entrenamiento: para los diabéticos tipo 1 y tipo 2, en general, se recomienda una frecuencia de 3 a 5 veces por semana.

- Espaciar las sesiones: como el ejercicio incrementa la sensibilidad a la insulina, ese efecto sólo suele durar entre 2 y 3 días, por eso es conveniente no dejar más de uno o dos días de descanso entre sesión y sesión.
- Duración del entrenamiento: depende de la intensidad de la actividad; si es de menor intensidad, debe llevarse a cabo durante más tiempo, y viceversa.
- Para el control de peso: resultan importantes las sesiones largas, con trabajo moderado, promueven cierta pérdida de grasa y disminuyen el riesgo de lesiones.
- En cuanto a tiempos: lo ideal, en la mayoría de los casos, es realizar sesiones de entre 30 y 45 minutos. Siempre debe haber un calentamiento previo y un estiramiento posterior a cada sesión.
- Intensidad del entrenamiento: debe ser moderada, para evitar riesgos cardíacos, vasculares o complicaciones neurológicas en diabéticos que tengan tendencia a desarrollar esos problemas. Para controlar la intensidad del ejercicio, la frecuencia cardiaca es la mejor guía y la que más se suele utilizar.

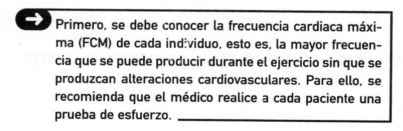

Primero, se debe conocer la frecuencia cardiaca máxima (FCM) de cada individuo, esto es, la mayor frecuencia que se puede producir durante el ejercicio sin que se produzcan alteraciones cardiovasculares. Para ello, se recomienda que el médico realice a cada paciente una prueba de esfuerzo.

Generalmente, para la mayoría de las personas diabéticas, la frecuencia cardiaca durante el entrenamiento oscila entre un rango de 60 a 75% de su frecuencia cardiaca máxima.

# ■ Las hipoglucemias en el deporte

La hipoglucemia, como ya se explicó anteriormente, es la consecuencia de una dosificación excesiva para las necesidades metabólicas de un momento determinado. Puede ocurrir que se produzca cuando se retrasa el horario de alguna comida, cuando se realiza un ejercicio físico poco habitual o cuando la dosis de insulina y la ingesta de hidratos de carbono no están bien equilibradas.

Hay que tener en cuenta que una reacción hipoglucémica se puede dar hasta 24 o 48 horas después de haber realizado ejercicios físicos. Por ello, el diabético tiene que tratar de prestar atención a los síntomas que vayan apareciendo durante la práctica del mismo. Además, el consumo muscular de glucosa se produce durante la actividad y hasta algunas horas después, más que nada en las personas que no están entrenadas.

Tras haber hecho ejercicios por espacio de 45 minutos o más, conviene medir el nivel de glucemia cada dos horas, durante 12 horas y antes de irse a dormir.

La mayoría de los casos de hipoglucemia ocurren en pacientes que practican ejercicios de más intensidad o de duración prolongada. Otro caso en el que se puede desarrollar una reacción hipoglucémica es cuando se practican ejercicios después de inyectar insulina o cuando se la administra en músculos que luego se van a ejercitar.

## ¿CÓMO EVITAR UNA HIPOGLUCEMIA?

Para evitar hipoglucemias, los diabéticos bien controlados que practiquen ejercicios aeróbicos con regularidad deben tomar ciertas precauciones:

- diseñar un programa de ejercicio físico con orientación del médico;
- reducir, en forma moderada, la dosis de insulina (aproximadamente en 2 unidades). Ese ajuste de la insulina dependerá de diversos

factores: la glucemia previa a la administración de insulina, la intensidad y duración del ejercicio, el tiempo transcurrido entre la administración de insulina y el ejercicio;

■ inyectar la insulina en músculos que no se vayan a ejercitar. Los expertos sugieren el área abdominal como lugar adecuado para la inyección de insulina, antes de realizar la actividad física;

■ aumentar la ingesta de hidratos de carbono antes del ejercicio;

■ ajustar los horarios de las comidas;

■ no realizar ejercicios físicos solo, sobre todo si van a durar más de una hora.

## TÉCNICAS PARA UN ADECUADO CONTROL

El mejor tratamiento de la hipoglucemia es prevenirla. Para ello es útil que el diabético, sus familiares y compañeros conozcan las manifestaciones clínicas de la hipoglucemia y cómo tratarla.

Cuando comienza una crisis hipoglucémica se aconseja ingerir rápidamente alrededor de 15 gramos de glucosa, (lo que equivale a 2 ó 3 cucharadas de azúcar, 150 ml. de jugo de naranja o bebida de cola). Es así que siempre que se vaya a realizar una actividad física hay que llevar algunos de estos productos u otros carbohidratos que sean de fácil digestión. También resulta clave indicarle a los familiares y amigos dónde se guarda el alimento y tener a mano algún teléfono al que llamar en caso de urgencia.

Si se trata de hipoglucemias muy severas, puede llegar a ser necesario aplicar una inyección subcutánea de glucagón; la puede administrar algún familiar o amigo (de la misma forma que se aplica la inyección de insulina). Por eso es importante que el diabético enseñe a su núcleo más cercano cómo aplicar las inyecciones.

# Un plan de ejercicios

## ■ Los primeros pasos

La rutina de calentamiento debe durar alrededor de 10 minutos, incluyendo movimientos suaves de todas las articulaciones, flexiones, círculos y extensiones. Por ejemplo:

1 ■ Hacer círculos con los tobillos (más o menos, 10 con cada uno).

2 ■ Ponerse de pie y flexionar las rodillas, llevándolas hacia los glúteos (también 10 con cada una).

3 ■ Realizar círculos con las caderas, apoyando las manos en ellas.

4 ■ Levantar las rodillas hasta la altura del abdomen (10 con cada una).

5 ■ Mover los hombros, haciendo círculos adelante atrás y de atrás hacia adelante (10 con cada uno).

6 ■ Realizar círculos con los codos, las muñecas y el cuello.

7 ■ Caminar 5 minutos.

8 ■ Trotar en el lugar, levantando las rodillas, suavemente.


## ■ Desarrollo de la sesión

Primero, se puede hacer una rutina de flexibilidad que dure 10 minutos. Se trata de ejercicios compuestos por flexiones y contracciones de 10 segundos, seguidas de un breve descanso.

Se deben flexibilizar:

■ los gemelos;

■ los cuádriceps (parte anterior del muslo);

■ los bíceps femoral (parte posterior del muslo);

■ los abductores (zona interna del muslo);

- los brazos (bíceps y tríceps);
- la espalda.

# REALIZACIÓN DE EJERCICIOS AERÓBICOS

Empieza con 15 minutos de carrera que se distribuyen de la siguiente manera: 7 minutos corriendo y 3 de descanso; sigue la carrera 8 minutos más y culmina con 3 minutos de descanso.
Se puede reemplazar la carrera por la bicicleta.

# VUELTA A LA CALMA

A continuación se hará una rutina de flexibilidad, con una duración de 10 minutos, realizando flexiones y contracciones sostenidas por 10 segundos, seguidas de un descanso (aproximadamente tres series de 10 segundos cada una) de las siguientes zonas:

1 ■ Gemelos.
2 ■ Cuádriceps.
3 ■ Bíceps femoral.
4 ■ Abductores.
5 ■ Brazos.
6 ■ Espalda.

Si se trata de niños, los cuales son espontáneos y no suelen planifican la actividad física que van a realizar, sus ejercicios deben ser controlados por sus padres, familiares o maestros, quienes deben estar pendientes ante cualquier síntoma para poder revertir la situación. Por ejemplo, ante posibles hipoglucemias, tener caramelos, azúcar, miel, etc.

# CAPÍTULO 10

 **La educación como
herramienta de prevención
y curación**

# La educación diabetológica

La educación del enfermo resulta de esencial importancia para combatir la diabetes y llevar una vida normal. Sólo aquel que esté bien informado sobre la diabetes sabrá cómo combatirla y cómo vivir con ella.

La diabetes es considerada como una "condición de vida", más que como una enfermedad. Esto significa que el paciente tiene que llevar a cabo un estilo de vida específico, particular; todos los diabéticos requieren una dieta especial (hábitos alimenticios apropiados) y cuidados adecuados para poder mantenerse estables y saludables.

Por ello se hace necesario que todas las personas que tienen esta enfermedad sepan a la perfección manejar todo lo relacionado con ella, para obtener resultados óptimos y lograr controlar sus cuerpos.

Para que esto sea posible, se necesita una adecuada educación diabetológica. De esta manera, cada persona podrá tomar sus decisiones, en forma conciente, y sabrá estar atenta a cualquier tipo de complicación que pueda surgir, para actuar de inmediato.

Si la diabetes no es controlada como corresponde, los niveles altos de glucemia dañan poco a poco los diferentes vasos sanguíneos, las arterias y los nervios de todos los órganos del cuerpo.

Como ya se ha aclarado con anterioridad, todos estos daños que van apareciendo son irreversibles, en su mayoría, y forman parte de lo que se conoce como complicaciones crónicas. Estas complicaciones no suelen presentar síntomas y los pacientes son diagnosticados cuando quedan incapacitados parcial o totalmente. Por lo tanto, un diabético con información completa sobre su enfermedad sabrá detectar tanto las complicaciones agudas como las crónicas y actuará a la brevedad, atacando de lleno el foco del problema, para poder seguir disfrutando de una vida saludable.

Existen diversas maneras para que el diabético se informe sobre su situación. El proceso educativo deberá ser continuo y completo. Se puede realizar mediante:

- charlas grupales o individuales, dictadas por profesionales de la salud;
- reuniones con otros pacientes, grupos de apoyo;
- campamentos en períodos de vacaciones;
- libros, folletos, revistas, películas, etc.;
- Internet (mediante páginas web con información sobre el tema).

Lo ideal sería hacer uso de todas estas opciones, de tal manera de estar lo más informados posible. Así, mediante los conocimientos que se adquieran a través de la educación diabetológica, el paciente podrá llevar a cabo una vida completamente normal.

Según diversos estudios realizados, la educación en diabetes permite a los pacientes elevar su calidad de vida y evitar las complicaciones que esta enfermedad puede provocar hasta en un 80%.

# ■ Obstáculos a vencer

Por lo general, los profesionales de la salud se niegan a aceptar la importancia del papel del educador en diabetes. Esto constituye uno de los principales problemas a la hora de controlar la enfermedad gracias a una buena educación.

A veces, los médicos creen que la labor del educador está de más y que los pacientes son capaces por sí mismos de controlar su enfermedad, valiéndose sólo de la información que les suministran los profesionales de la salud.

Pero no todo es igual ni general. Existen profesionales de la salud que sí promueven la tarea del educador y que incluso motivan a sus pacientes para que lean y se instruyan lo más que puedan en el mundo de la diabetes.

Por otro lado, no todo es responsabilidad de los médicos o de los educadores; los pacientes también tienen un gran porcentaje de responsabilidad en la materia. Muchos diabéticos no reconocen la importancia del cuidado de su enfermedad y por eso no buscan apoyo en nadie ni se preocupan por adquirir información.

Debido a que la diabetes es una enfermedad difícil, compleja, es necesaria la educación, como para poder comprenderla y controlarla. Todos, el médico y demás profesionales de la salud, los pacientes, los familiares, los amigos, tienen que entender que la diabetes no es una enfermedad pasajera, requiere de mucha información, perseverancia, constancia y educación, además de la participación activa del paciente.

# ■ El papel del educador

El educador en diabetes es la persona idónea para tratar con el paciente y brindarle una completa educación sobre su enfermedad. Tal como su nombre lo indica, se trata del profesional de la salud especializado en la educación de la diabetes. Conoce completamente las características de esta enfermedad, sus complicaciones agudas y crónicas, la manera de prevenirlas, el manejo de la administración de insulina y demás formas de tratamiento, etc.

Pero esto no es todo, el educador tiene experiencia en el manejo de grupos de apoyo, en donde los pacientes interactúan y logran aprendizajes mutuos. Su función se asemeja a la de coordinador.

En realidad, su tarea más importante es la de concientizar a los pacientes y sus familiares sobre la importancia del cambio de hábitos para controlar la enfermedad.

# ■ Diversas formas de educación

La educación de los pacientes diabéticos puede ser grupal o individual.

Por lo general, la forma más común de educar es la grupal. Mediante esta manera se logra que los pacientes intercambien sus experiencias, se apoyen entre sí; si hay crisis en los pacientes recién diagnosticados, otro de más experiencia puede darle consejos, para lograr calmarlo; en síntesis, es una forma de interactuar por la que se refuerza el aprendizaje. Además, la familia puede acudir a estas charlas grupales y apoyar activamente al paciente.

Algunas características del programa de educación grupal, además de las ya dadas, son:

■ El educador tiene que fomentar la participación de todos los asistentes y de sus respectivos familiares, para que cada uno pueda expresar lo que siente, sus dudas, sus miedos, sus expectativas, etc.

■ La clase tiene que tener ritmo dinámico, debe ser un espacio para que todos tengan la oportunidad real de adquirir conocimientos y despejar dudas.

■ El educador puede utilizar material de apoyo: dibujos, láminas, pizarrones, ilustraciones, películas, grabaciones, material audiovisual de todo tipo, etc. Con todo esto se le da al paciente una versión más clara de la enfermedad.

■ El educador puede tener guías de material que le sirvan para hacer más clara su exposición, fichas para repartir, lecturas, etc., de tal manera que logre que los pacientes sientan mayores deseos de aprender sobre su enfermedad.

La educación del diabético tiene que ser un proceso continuo, para que el paciente logre cambiar positivamente sus hábitos.

Por su parte, los pacientes tienen que asistir siempre a sus sesiones con el educador, para tener una educación que no se interrumpa y para conocer los avances de la medicina relacionados con la diabetes.

# ■ El rol de la familia

El papel que juega la familia del paciente, al igual que la educación, es un factor preponderante para lograr el bienestar del diabético.

No sólo el paciente recién diagnosticado requiere de ayuda y apoyo de los profesionales involucrados en el tema, sino también la familia (y hasta los amigos) y todos aquellos que rodean al diabético, para combatir juntos cualquier tipo de complicaciones que puedan surgir.

Algunos de los cuidados que debe tomar en cuenta el diabético son:

- la aplicación de insulina;
- el monitoreo de glucosa;
- las restricciones alimentarias;
- el tratamiento de la hipoglucemia e hiperglucemia, etc.

Todo esto debe ser conocido tanto por el paciente como por sus familiares; todos se deben involucrar para aprender a actuar de manera responsable ante el desarrollo de esta enfermedad. Además, se evitará que el diabético caiga en posibles depresiones, ya que no se sentirá solo y su tarea será menos tediosa.

Pero los familiares y amigos también necesitarán ayuda para evitar que sus estados de ánimo impidan el desarrollo del tratamiento.

Por lo tanto, es importante e imprescindible que los familiares de las personas con diabetes se adapten también a los cambios que el tratamiento de la diabetes exige y conozcan completamente todo lo relacionado con el cuidado de la diabetes y la prevención de sus complicaciones, como pueden ser las mencionadas hipoglucemia e hiperglucemia. De esta manera se logrará que el paciente siga su tratamiento sin abandonarlo y pueda mejorar su calidad de vida.

# RECETARIO

 **Platos salados
y dulces**

# Recetas saladas

## GRATEN DE ARROZ Y ESPINACAS

- **Ingredientes:**

1 taza de arroz lavado
1 cucharada de aceite de oliva
2 cebollas picadas
2 cebollas de verdeo picadas
500 cc de caldo de verdura
250 gramos de espinaca congelada
4 zanahorias cocidas
1 taza de salsa blanca dietética
100 gramos de queso blando cremoso descremado
2 cucharadas de albahaca
pimienta a gusto

> La salsa blanca dietética se realiza con leche descremada y 1 cucharada de fécula de maíz.

- **Preparación:**

Primero, rociar una cacerola con un poco de aceite vegetal y verter media taza de caldo de verduras. Calentar a fuego mínimo. Luego, agregar cebolla, la cebolla de verdeo y cocinar hasta que estén trasparentes. Agregar la taza de arroz, verter el caldo restante y las espinacas; colocarle pimienta a gusto y cocinar durante 15 minutos, a olla destapada. Rallar las zanahorias (que estén previamente cocidas) y, junto con la albahaca, añadir todo al arroz. Cuando el arroz está listo, colocar la preparación en una fuente que tenga rocío vegetal, emparejar y cubrir con salsa blanca. Rallar el queso blando en la superficie, gratinar en horno bien caliente durante diez minutos y servir.

# TALLARINES INTEGRALES

■ **Ingredientes:**

200 g de harina integral superfina
100 g de harina de soja
50 g de harina común
100 g de harina de gluten
1 huevo
2 claras
2 cucharadas de puré de zanahorias
1 cucharada de aceite de maíz
sal y pimienta

■ **Preparación:**

Primero, mezclar las harinas en una procesadora durante unos segundos. Luego, batir las claras con el huevo, el aceite, el puré de zanahorias y dos cucharadas de agua. Agregar las harinas lentamente, mientras se procesa a velocidad alta, hasta obtener un bollo de masa liso. Si es necesario, se puede agregar un poco más de agua. Dejar descansar la preparación, tapada, durante media hora. Estirar la masa sobre una superficie enharinada, que quede bien fina y cortar los tallarines del ancho deseado. Cocinar en agua hirviendo con sal a gusto, colar y servir con la salsa que se prefiera.

# SALSA PARA PASTAS

**Ingredientes:**

6 cucharadas de caldo de verdura
1 cucharada de aceite de oliva
1 cebolla chica cortada en rodajas
1 diente de ajo picado
2 zapallitos cortados en cubitos
1 berenjena pelada y cortada en cubitos
1/2 pimiento rojo cortado en cubitos

2 tomates redondos pelados y cortados
en cubitos
1/4 de cucharadita de ají molido
sal y pimienta

- **Preparación:**

Untar una sartén grande con un poco de aceite de oliva; verter el caldo y llevar a fuego moderado. Cuando rompa el hervor, agregar la cebolla y cocinarla hasta que esté transparente. Luego, incorporar el ajo, la berenjena y los pimientos. Tapar la sartén y cocinar a fuego suave durante ocho minutos; cuidando de revolver de tanto en tanto.

Agregar los zapallitos, los tomates y el ají molido. Salpimentar y continuar la cocción durante cinco minutos más. Tomar una fuente para horno y colocarle rocío vegetal de oliva (si no se tiene este ingrediente, pasar un algodón con aceite de oliva, untando con él toda la fuente) Tomar porciones de pasta cocida y enroscarlas en forma de nidos. Colocar en la fuente. En el centro de cada nido, volcar una porción de la salsa preparada. Gratinar en un horno caliente durante cinco minutos. Se puede decorar con perejil y servir.

## ÑOQUIS DE RICOTA AL FILETO

- **Ingredientes:**

Para los ñoquis:
100 g de ricota descremada
2 huevos
100 g de harina

Para la salsa:
Puré de tomate
1 cucharada de aceite de oliva
orégano, ajo

**■ Preparación:**

*Hacer una corona con la harina, incorporar el huevo y la ricota; mezclar con los dedos hasta formar una masa suave. Hacer bastones y marcarlos con un tenedor. Hervirlos y colarlos. Están listos para servir con el puré de tomate (condimentado con aceite de oliva, orégano y ajo).*

## POLLO EN SU JUGO

**■ Ingredientes:**

1 pollo
1 cebolla
1 cebolla de verdeo
1 diente de ajo
2 pimientos colorados
400 ml de caldo de pollo
3 papas medianas
12 espárragos
3 zanahorias

**■ Preparación:**

*Separar el pollo en 2 pechugas con hueso, 2 patas y 2 muslos. En una cacerola (previamente rociada con aceite vegetal), a fuego lento, colocar la cebolla en láminas finas y la cebolla de verdeo picada, un diente de ajo y los pimientos cortados a lo largo. Rehogar todo, añadir el pollo y dorar de ambos lados. Colocar el caldo por encima hasta cubrir la mitad. Agregar las papas cortadas en forma de tubo (utilice un cortapasta) y ahuecadas apenas en un extremo. Llevar a horno medio, tapado, durante 25 minutos. Cocinar al vapor los espárragos y las zanahorias cortados en rodajas, dejando las cabezas de 4 cm. Agregar todo a la preparación anterior y servir.*

# Paella de Arroz y Vegetales

**Ingredientes:**

1 litro de caldo de verdura
1 cápsula de azafrán
1 cebolla picada
1/2 copa de vino blanco
350 g de arroz
3 zapallitos cortados en rodajas
250 g de arvejas
250 g de espárragos
250 g de chauchas
3 tomates pelados
2 cucharadas de albahaca picada
3 cucharadas de queso blando cremoso
descremado rallado
pimienta

■ **Preparación:**

En una paellera o cazuela, rociada con aceite vegetal, calentar media taza de caldo. Agregar la cebolla, el arroz y revolver con una cucharada de madera hasta que los granos se sellen. Luego, verter el vino blanco hasta que se evapore e incorporar 300 cc de caldo caliente mezclado con el azafrán y cocinar 5 minutos. Agregar los vegetales y el caldo restante hirviendo. Añadir el tomate redondo, y continuar la cocción hasta que el arroz esté a punto. Colocarle pimienta a gusto, espolvorear con la albahaca y queso descremado rallado. Retirar del fuego y servir.

# PIZZA VERDE

**■ Ingredientes:**

100 g de espinaca

100 g de brócoli

1 huevo

50 g de queso descremado cuartirolo

30 g de puré de tomate

orégano, pimienta, ajo

**■ Preparación:**

*Cocinar las espinacas y el brócoli, picar y escurrir. Procesar las verduras con el huevo y colocar en una pizzera, rociada con aceite vegetal. Llevar al horno. Condimentar el puré de tomate. Cubrir la pizza con la salsa y el queso cortado y llevarla a un horno fuerte.*

# MORRONES RELLENOS

**■ Ingredientes:**

200 g de morrones

50 g de carne picada sin grasa

10 g de puerro

1 clara de huevo o 1 huevo entero

50 g de tomate triturado

albahaca

**■ Preparación:**

*Cortar la cabeza de los morrones, quitarles la semilla, lavarlos y secarlos. En una sartén rociada con aceite vegetal, agregar el puerro hasta que se dore. Mezclar la carne picada con el puerro y la clara de huevo o el huevo entero. Echarle sal y rellenar los ajíes. Colocarlos en un recipiente profundo para horno, y agregar el tomate triturado, la albahaca, y cocinar a fuego lento durante 10-15 minutos.*

# PIERNA DE CORDERO RELLENA

- **Ingredientes:**

1 pierna de cordero deshuesada

Para el relleno
1/2 taza de hojas de hierbas frescas picadas
2 cebollas picadas
1 cucharada de cebollín picado
1 clara
1/2 taza de pan rallado

Para la guarnición
200 g de cebollitas baby (las pequeñas, redonditas)
5 zanahorias
2 tazas de caldo de carne
sal y pimienta

- **Preparación:**

Primero, desgrasar completamente la pierna de cordero y abrirla con un cuchillo; retirar todos los recortes de carne, procesarlos y colocar todo en un recipiente. Luego, adicionar los ingredientes del relleno, mezclar bien todo y salpimentar a gusto. Extender el relleno sobre la carne, arrollarla y atarla con un hilo de algodón, para que mantenga su forma. Tomar una cacerola y rociarla con aceite vegetal; calentar a fuego moderado y sellar la carne, rotándola hasta que se selle toda. Incorporar las cebollitas, dorarlas un momento y verter el caldo caliente. Cocinar durante 5 minutos y poner todo en una asadera. Pelar las zanahorias, cortarlas en tiritas y distribuirlas sobre la asadera. Cocinar en horno moderado durante una hora, bañando de tanto en tanto con el fondo de cocción. Servir cortado en rodajas con la guarnición de cebollas y zanahorias y decorar la fuente con hierbas frescas.

# Merluza Primaveral

- **Ingredientes:**

  1 merluza entera y limpia
  5 zanahorias peladas y cortadas en rodajas
  3 tallos de apio cortados en trocitos
  1 cebolla cortada en tiras (juliana)
  2 papas peladas y cortadas en rodajas
  250 cm$^3$ de caldo de verduras
  3 dientes de ajo picados
  1/2 taza de puré de tomate
  sal y pimienta

- **Preparación:**

  Colocar el caldo y los vegetales cortados en una cacerola, salpimentar, tapar y cocinar a fuego lento durante 20 minutos. Ubicar el pescado en una fuente de horno, ligeramente aceitada; escurrir los vegetales y ubicarlos encima del pescado. Mezclar el puré de tomates con el ajo y el fondo de cocción de las verduras; condimentar con sal y pimienta a gusto. Cocinar la preparación a fuego lento y, una vez que rompa el hervor, verter sobre el pescado. Cocinar en el horno entre 30 y 35 minutos a temperatura moderada. Dejar enfriar. Se puede servir el pescado decorado con rodajas de limón y ramitas de perejil.

# Tapa de Nalga con Cebolla y Jengibre

- **Ingredientes:**

  2 cebollas cortadas en rebanadas
  850 g de tapa de nalga, en rebanadas
  1/2 cucharadita de pimienta negra
  1 cucharada de vinagre
  1 trozo de jengibre fresco, cortado en tiritas
  1/2 cucharada de sal
  2 cucharaditas de aceite de oliva

- **Preparación:**

*En una fuente que tenga cierta profundidad, extender la mitad de la cebolla y el jengibre. Acomodar encima la carne y espolvorear con sal y pimienta. Cubrir con el resto de la cebolla. Tapar con envoltura autoadherente y enfriar durante 1 a 3 horas. Calentar el horno; calentar el aceite en una sartén, sobre la hornalla, a fuego moderado. Agregar las cebollas, el jengibre y la sal y la pimienta restantes, salteando hasta que se dore la cebolla, e incorporar el vinagre. Mientras tanto, asar la carne al punto deseado; se recomienda unos 30 minutos, 15 de cada lado. Dejar reposar la carne unos minutos y cortar en rebanadas. Servir con las cebollas y las verduras.*

## REMOLACHAS CON ESPECIAS

- **Ingredientes:**

1 taza de caldo de pollo

1/4 de taza de vinagre de manzana

8 semillas de coriandro

1/4 de cucharadita de pimienta verde en polvo

3/4 de remolachas

3 clavos de olor enteros

8 granos de pimienta negra

1 diente de ajo entero

1 cucharadita de azúcar

1 cucharada de manteca

- **Preparación:**

*Hervir el caldo en una cacerola junto con las remolachas, el vinagre, los clavos de olor, las semillas de coriandro, las pimientas, el ajo y el azúcar. Tapar y dejar hervir a fuego lento por 35 minutos, hasta que las remolachas estén tiernas. Colocar todo en una fuente. Hervir el líquido restante durante 5 minutos, incorporar la manteca y verter el líquido sobre las remolachas. Servir con pescado, por ejemplo, salmón a la parrilla y papas al vapor.*

# SÁNDWICH DE ENSALADA DE POLLO CON MANZANA

■ **Ingredientes:**

1/4 de taza de mayonesa bajas calorías
1/4 de taza de yogur natural, descremado
1/8 de cucharadita de sal
1/8 de pimienta en polvo
2 tazas de pollo cocido, en cubitos
1 manzana sin corazón, en cubitos
1 taza de pimiento rojo o verde, sin corazón
ni semillas, picado
3/4 de cucharadita de curry en polvo
1 diente de ajo picado
5 cebollitas de verdeo enteras, picadas
2 cucharadas de perejil fresco, picado
hojas de lechuga bien lavadas
4 panes árabes cortados por la mitad

■ **Preparación:**

En un recipiente, mezclar la mayonesa, el yogur, el curry, la sal, la pimienta y el ajo. Luego agregar el pollo, la cebolla de verdeo, el pimiento, la manzana y el perejil. Colocar unas hojas de lechuga adentro de cada mitad de pan y luego rellenar con la ensalada. Envolver con plástico autoadherente y dejar enfriar un par de horas, hasta el momento de servir. La ensalada puede durar, refrigerada, hasta 2 días.

# BROCHETAS DE PESCADO

- **Ingredientes:**

2 cucharadas de jugo de limón
1 cucharada de ajo picado
1 cucharadita de ají molido
1 cucharadita de coriandro en polvo
1/2 cucharadita de sal
1 cebolla grande
2 cucharadas de yogur natural, descremado
1 cucharada de jengibre fresco rallado
1 cucharadita de comino
1/2 cucharadita de cúrcuma en polvo
3/4 kg de carne de pescado blanca, cortado
en trozos de 3 cm o camarones
1 pimiento rojo
perejil fresco, picado y rodajas de limón

- **Preparación:**

En un recipiente, mezclar el jugo del limón, el yogur, el ajo, el jengibre, el ají molido, el comino, el coriandro, la sal y la cúrcuma. Agregar el pescado e impregnarlo con la marinada. Tapar y refrigerar por 30 minutos. Precalentar la parrilla. Armar cuatro brochetas de 30 a 35 cm, alternando pescado, cebolla y pimiento. Acomodar las brochetas en la parrilla y asarlas durante 3 minutos de cada lado. Colocar en una fuente caliente, adornar con perejil y rodajas de limón y llevar a la mesa.

# Recetas dulces

## GALLETITAS INTEGRALES DE NARANJA

- **Ingredientes:**

  200 g de harina integral

  70 g de copos de salvado

  2 cucharaditas de levadura

  piel de una naranja rallada finamente

  una pizca de sal

  60 g de margarina

  70 g de puré de papas

  edulcorante líquido

  1 huevo

  3 cucharadas de jugo de naranja

  1 cucharadita de margarina vegetal

- **Preparación:**

*Primero, se debe calentar el horno a 180ºC. Luego se comienza con la preparación. Mezclar en un recipiente: la harina, el salvado, la levadura, la ralladura de naranja y la sal. Colocar la margarina en cuadraditos y sobar la masa hasta que parezca pan rallado fino. Tras estos pasos, colocar edulcorante al puré de papas y mezclar todo con la preparación anterior. Batir todo junto con el huevo y el jugo de naranja hasta obtener una pasta firme. Estirarla sobre una tabla enharinada. Cortar la masa en círculos o en cuadrados de 5 cm aproximadamente. Ponerlos sobre una placa para horno engrasada y dejar en el horno durante 15-20 minutos, hasta que estén crujientes pero no tostadas. Dejar enfriar y guardar en un recipiente hermético. Ya están listas para ser degustadas.*

# Sorbete de limón

- **Ingredientes:**
  1 vaso de leche sin nata
  1 vaso de jugo de limón
  ralladura de limón
  1 clara de huevo
  edulcorante líquido

- **Preparación:**

*Primero, mezclar todo en la batidora, excepto la clara. Añadir edulcorante líquido a gusto. Colocar en el congelador y, cuando esté semihelado, añadir la clara a punto de nieve y mezclar todo bien. Volver a colocarlo en el congelador hasta que finalmente esté helado y listo para probar.*

# Helado de frutas frescas

- **Ingredientes:**
  1 pote de yogur descremado de frutilla
  1/2 taza de leche descremada
  3 cucharadas de edulcorante en polvo
  1 sobre de gelatina sin sabor
  1/2 taza de jugo de naranja
  2 kiwis picados
  6 frutillas picadas
  1 taza de mango picado

- **Preparación:**

*Primero, hidratar la gelatina con el jugo de naranja y llevar a baño de María hasta disolver. Luego, batir el yogur, la leche y el edulcorante, y mezclar con la gelatina ya disuelta. Agregar las frutillas, el mango y los kivis; mezclar todo. Distribuir la preparación en copas y llevar a la heladera durante 2 horas. Decorar con frutas frescas.*

# TARTA DE HOJALDRE

**■ Ingredientes:**

90 g de mermelada light de frambuesa
(sin azúcar ni fructosa)
200 g de hojaldre
300 g de requesón
1 huevo
1 yogur
3 cucharaditas de edulcorante líquido
para la crema
2 tacitas de agua
1 cucharadita de harina de maíz

➜ Requesón: masa
blanca y mantecosa
que se obtiene
cuajando la leche y
quitando el suero.

**■ Preparación:**

Para la base, se debe extender el hojaldre y colocarlo en el recipiente para horno. Pincharlo con un tenedor para que no aumente mucho su volumen al hornearlo. Dejarlo en el horno a 200°C hasta que esté dorado. Sacar y enfriar. Para el relleno, mezclar en un recipiente el requesón, el yogur, un huevo y tres cucharaditas de edulcorante. Colocar la mezcla sobre la base de la tarta e introducir en el horno a 180°C nuevamente durante 10 minutos. Para la cobertura, mezclar la mermelada, el agua y una cucharadita de harina de maíz. Colocar en un fuego suave y llevarlo a ebullición sin dejar de remover. Retirar cuando se haya evaporado parte del agua y dejar templar para poder, así, verterlo sobre la tarta. Ya está lista para disfrutar.

# MOUSSE DE CHOCOLATE CREMOSO

- **Ingredientes:**

1 y 1/2 taza de leche descremada en polvo
1 taza de leche descremada
1/2 taza de agua
2 sobres de gelatina sin sabor
1 cucharadita de margarina light
2 cucharadas de edulcorante en polvo
3 claras
3 cucharadas de cacao en polvo amargo
50 g de chocolate en barra para diabético
1/2 taza de chocolate granulado sin azúcar
1 cucharada de esencia vainilla

- **Preparación:**

Licuar la leche en polvo, la leche descremada, la margarina, el agua, el edulcorante, el cacao y la esencia de vainilla. Colocar la preparación sobre el fuego y hervir. Agregar el chocolate y revolver bien hasta disolver. Hidratar la gelatina en agua y disolverla a baño de María. Mezclar con la preparación anterior, dejar enfriar y reservar. Batir las claras a nieve y agregarlas a la crema ya fría con movimientos envolventes, suavemente. Colocar en copas y llevar a la heladera un par de horas. Se puede servir decorado con hojas de menta y una cereza.

# BIZCOCHITOS DE NUEZ

- **Ingredientes:**

  50 g de harina blanca
  50 g de harina integral
  1/2 cucharada de bicarbonato de sodio
  1 cucharadita de margarina light
  2 cucharadas de edulcorante granulado
  50 g de fructosa
  2 cucharadas de leche descremada
  20 g de nueces picadas

- **Elaboración:**

  Primero se debe precalentar el horno a 180°C. Mezclar las dos harinas con el bicarbonato y agregar la margarina, el edulcorante, la fructosa y la leche. Amasar hasta obtener una masa homogénea. Agregar las nueces y extender la masa en una mesada previamente espolvoreada con harina. Cortar círculos con un cortante para pastelería. Colocar las bizcochitos en una placa para horno y cocinar durante unos 10 a 15 minutos.

# UNAS ÚLTIMAS PALABRAS

Para concluir, y debido a su importancia, queremos reiterar los cinco puntos básicos en los que se basa la educación diabetológica y que contribuyen a mantener una calidad de vida estable y dentro de los parámetros normales:

## → Autocontrol

Se trata de monitorear la glucemia de manera frecuente. Si una persona tiene diabetes tipo 1, es decir, su vida depende de la insulina, tiene que controlar sus glucemias como mínimo tres o cuatro veces por día, en diferentes horarios. Seguramente el médico que lo atienda le recomiende realizarse los controles no bien se levante, por la mañana; antes de alguna comida importante, una hora y media después del almuerzo o a la cena, y antes de realizar actividad física. Si una persona tiene diabetes tipo 2, es decir, no necesita inyecciones de insulina diarias para vivir, también deberá realizarse controles de glucemia frecuentemente, por ejemplo, cuatro o cinco veces a la semana, en distintos horarios, según se lo indique el médico. El objetivo de este punto es lograr mantener los niveles de glucemia dentro de los rangos normales o lo más próximo a ellos. Así, se retrasan o se evitan las complicaciones de la diabetes.

## → Medicación

Aunque muchas personas que tienen diabetes tipo 2 pueden realizar un tratamiento sin medicación, con un buen plan alimentario, bien supervisado por un profesional idóneo, y con actividad física permanente, la mayoría de ellos necesitan tratarse con antidiabéticos orales. Lo más importante es tener en cuenta lo siguiente: que haya continuidad en la toma de las dosis prescriptas por el médico, que se cumplan los horarios y condiciones. Las personas que tienen diabetes tipo 1 necesitan aplicarse varias dosis diarias de insulina para poder vivir. El médico determinará los tipos de insulinas, la concentración y el origen, así como los horarios de su aplicación.

## → Plan alimentario

Una persona diabética que no tenga otras enfermedades asociadas (celiaquía, hipertensión, etc.) no tiene comidas para diabéticos, sino una adaptación de las comidas sanas convencionales de acuerdo con las raciones, las proporciones y las condiciones de la ingesta (por ejemplo: horarios, nivel de glucemia a la hora de comer, etc.).

## → Actividad física

Es importante para cualquier persona, y lo es mucho más para un diabético, porque disminuye la glucemia, el colesterol y los triglicéridos, ayuda a mantener el peso corporal, disminuye la tensión arterial; por otro lado, la actividad física aumenta el colesterol protector, la acción de la insulina, la circulación sanguínea y la sensación de bienestar.

## → Apoyo emocional

Para llevar a cabo un buen cuidado de la diabetes, la persona debe sentirse bien motivada, tranquila y con un ánimo estable. El hecho de aceptar la diabetes como enfermedad crónica tiene gran relevancia en el ánimo y en las emociones de las personas diagnosticadas. La diabetes también involucra a todo su entorno; todos aquellos que rodean al diabético deberán comprender y conocer la enfermedad para poder acompañarlo, ayudarlo y apoyarlo. La ayuda emocional contribuye a la ausencia de dolor, al bienestar emocional, a la capacidad de trabajar, de relacionarse y de disfrutar de la vida.

# Índice